D0105418

SCÈNES
DE LA
VIE DE BOHÈME

Courtesy of George Barrie's Sons

HENRI MURGER

The Century Modern Language Series
Kenneth McKenzie, Editor

HENRI MURGER

SCÈNES
DE LA
VIE DE BOHÈME

EDITED
WITH INTRODUCTION, NOTES, EXERCISES AND VOCABULARY
BY

JOHN VAN HORNE, PH.D.
ASSISTANT PROFESSOR OF ROMANCE LANGUAGES IN THE
UNIVERSITY OF ILLINOIS

New York & London
THE CENTURY CO.
1924

PRINTED IN U. S. A.

To

MY WIFE

MARGARET VARNEY VAN HORNE

PREFACE

The text of the *Scènes de la vie de Bohème*, as here presented, contains about one third of the original. The complete book would be much too long for convenient use in class. It is easy to make selections, because the book is composed of sketches that depend very little upon each other for proper comprehension.

The stories chosen for this edition are marked chiefly by humor. The tender melancholy that also characterizes some of the omitted sketches is suggested only occasionally in the stories of this volume. In the interest of classroom use of the book, the episodes that deal with *Mimi* and *Musette* have, for the most part, been left out. However, since total omission of such episodes would have given a false idea, the two sketches *Le Café de la Bohème* and *la Toilette des Grâces* have been included. A few trifling excisions have been made in the text of the stories chosen.

The rather copious notes are intended to accompany a book suited to use in second-year French. The vocabulary is meant to be complete. The exercises offer drill in a few selected syntactical points.

The plan of Paris contains the principal places mentioned in the stories. The editor wishes to express his very warm appreciation to the publishing house of George Barrie's Sons of Philadelphia for their kind permission to reproduce in this edition four etchings representing a portrait of the author and scenes described in the text. These etchings are found in a very handsome edition of Murger's book, trans-

PREFACE

The text of the *Scènes de la vie de Bohème,* as here presented, contains about one third of the original. The complete book would be much too long for convenient use in class. It is easy to make selections, because the book is composed of sketches that depend very little upon each other for proper comprehension.

The stories chosen for this edition are marked chiefly by humor. The tender melancholy that also characterizes some of the omitted sketches is suggested only occasionally in the stories of this volume. In the interest of classroom use of the book, the episodes that deal with *Mimi* and *Musette* have, for the most part, been left out. However, since total omission of such episodes would have given a false idea, the two sketches *Un Café de la Bohème* and *la Toilette des Grâces* have been included. A few trifling excisions have been made in the text of the stories chosen.

The rather copious notes are intended to accompany a book suited to use in second-year French. The vocabulary is meant to be complete. The exercises offer drill in a few selected syntactical points.

The plan of Paris contains the principal places mentioned in the stories. The editor wishes to express his very warm appreciation to the publishing house of George Barrie's Sons, of Philadelphia, for their kind permission to reproduce in this edition four etchings representing a portrait of the author and scenes described in the text. These etchings are found in a very handsome edition of Murger's book, translated with the title *Bohemian Life* by George B. Ives, and published by George Barrie's Sons. The etchings are the work of Charles Louis Courtry, and are based upon drawings by Pierre Marie Alfred Montader.

J. V. H.

TABLE OF CONTENTS

LIST OF ILLUSTRATIONS

INTRODUCTION

Foreword.—"In every age and in all countries the men who have followed art as a calling—whether with the pencil, the chisel, or the pen—have been wont to rebel against the chafing trammels of the conventionalities that society in its own general interest has imposed upon its members, and have sought, in isolated cliques, to shut out the turmoil and the rush of the busy work-a-day world. . . There is always something fascinating about the history of those who, worshipping strange gods and having peculiar standards of their own as to the purposes and utility of being, lead lives apart from the routine of ordinary mortals."[1]

These words explain why the book edited in this volume has attracted many readers. In addition it may be said particularly that the life of young artists and students in the Latin Quarter of Paris has furnished subjects for many works of literature, and for many conversations. There is a glamor of romance about Parisian student life. It is inherently attractive to the youthful, adventurous, and artistic elements in us. It has almost unlimited possibilities in joy and in sorrow. The book that has best caught the spirit of this life is the *Scènes de la vie de Bohème*.[2]

Biography.—Henri Murger,[3] author of the *Vie de Bohème*,

[1] Henry Curwen, *Sorrow and Song*, Vol. I., Henry Murger, p. 3.

[2] In this introduction the book will be referred to by the shorter title of *la Vie de Bohème* or *Vie de Bohème*.

[3] The final r in Murger is pronounced. For literary purposes Murger sometimes wrote his name Henry Murger.

INTRODUCTION

Foreword.—"In every age and in all countries the men who have followed art as a calling—whether with the pencil, the chisel, or the pen—have been wont to rebel against the chafing trammels of the conventionalities that society in its own general interest has imposed upon its members, and have sought, in isolated cliques, to shut out the turmoil and the rush of the busy work-a-day world . . . There is always something fascinating about the history of those who, worshipping strange gods and having peculiar standards of their own as to the purposes and utility of being, lead lives apart from the routine of ordinary mortals." [1]

These words explain why the book edited in this volume has attracted many readers. In addition it may be said particularly that the life of young artists and students in the Latin Quarter of Paris, has furnished subjects for many works of literature, and for many conversations. There is a glamor of romance about Parisian student life. It is inherently attractive to the youthful, adventurous, and artistic elements in us. It has almost unlimited possibilities in joy and in sorrow. The book that has best caught the spirit of this life is the *Scènes de la vie de Bohème.*[2]

Biography—Henri Murger [3], author of the *Vie de Bohème,*

[1] Henry Curwen, *Sorrow and Song,* Vol. I. *Henry Murger,* p. 3.

[2] In this introduction the book will be referred to by the shorter title of *la Vie de Bohème* or *Vie de Bohème.*

[3] The final r in Murger is pronounced. For literary purposes Murger sometimes wrote his name Henry Mürger.

was born, probably in Paris, in the spring of 1822.[4] His father, of German extraction, was born in Savoy, now a part of southeastern France, but then a part of the Italian kingdom of Sardinia.[5] The father settled in Paris after the Napoleonic wars, married a French working girl, and exercised the professions of tailor and of concierge of apartment houses.

The youthful Henri was brought up in an atmosphere completely Parisian. His father wished him to learn a trade, but his mother wanted to make of him a thorough gentleman. He did not receive a careful education, and never entirely overcame this disadvantage. However, he became the protégé of two cultivated families that lived in the same apartment house with him. At the age of fourteen he began to work for twenty francs a month in a lawyer's office. His spare time was devoted to painting and poetry. His mother had died in 1834, and his relations with his father were not good. He finally secured a position at fifty francs a month as private secretary to a Russian nobleman. He gave up painting and devoted his artistic effort entirely to poetry. In 1839 his father drove him from home, and for ten years he lived a precarious existence, marked by privations, comradeship with other artists, variety of employment, and much hard work. He had a number of love affairs, which are described in his literary works.

Murger's habits were irregular. He worked during the night, and slept during the day. In order to stay awake he consumed great quantities of coffee. This excess, and the privations attendant upon a struggling author's life, brought on a painful disease that forced Murger to spend

[4] The exact date is somewhat in dispute. Some say that he was born in Savoy, but the best testimony indicates Paris.

[5] Commonly called Piedmont.

long periods in the hospital. He made the acquaintance of numerous authors and artists, some of whom later won fame, while others remained almost unknown, or even succumbed to the hardships of their existence. In 1844 Murger lived with the critic Jules Fleury,[6] who advised him to write prose, and not poetry. In 1848 he began his *Scènes de la vie de Bohème* in serial form, receiving only fifteen francs for each instalment. The stories soon became fairly popular, but they did not attain real celebrity until a stage version, written by Murger in collaboration with Théodore Barrière, was produced in 1849. This production brought to Murger fame and some pecuniary reward. The rest of his life was spent in more comfortable surroundings. He contributed to well known journals such as the *Revue des deux mondes.* He withdrew from the Latin Quarter, and even spent a large part of his time in the country near Fontainebleau. He continued writing throughout his life. He was never wealthy, but he was well known and popular. He died rather suddenly after a brief illness on January 27, 1861, in Paris.

Works.—Murger wrote the following works, chiefly prose fiction. The last five were published posthumously.

Scènes de la vie de Bohème	1848
La Vie de Bohème (*play*)	1849
Scènes de la vie de jeunesse	1851
Le Pays latin	1851
Les Amours d'Olivier	1851
Le Bonhomme jadis (*play*)	1852
Propos de ville et propos de théâtre (*journalistic notes*)	1853
Scènes de campagne	1854

[6] Commonly known by his pen name Champfleury.

Ballades et fantaisies	1854
Le Roman de toutes les femmes	1854
Les Buveurs d'eau	1855
Le dernier Rendez-vous	1856
Les Vacances de Camille	1857
Mme. Olympe	1859
Le Sabot rouge	1860
Les Nuits d'hiver (poems)	1861
Le Serment d'Horace (play)	1861
Le Roman d'un capucin	1868
Les Roueries de l'ingénue	1874
Dona Sirène	1874

None of Murger's later works became as famous as the *Vie de Bohème*. Some contemporary critics thought that his reputation would rest more securely upon other books, but the verdict of posterity has favored the earlier work. Murger himself thought that the style of his youthful masterpiece was faulty, its tone flippant, and that it might induce the young and inexperienced unwisely to follow an artistic career. He attempted to write more serious pictures of Bohemian life; but in this effort he lost spontaneity and naturalness. His best qualities were the humor and the tender melancholy of the *Vie de Bohème*. He was very careful in his later works, and composed laboriously and conscientiously, but the effect is artificial.

Les Amours d'Olivier and *le dernier Rendez-vous* are moving accounts of Murger's unhappy love. *Le Sabot rouge* and *Scènes de campagne* are excellent stories, whose scenes are laid in the country around Fontainebleau. *Le Pays latin* is a good study of a young medical student's experiences in Paris. But Murger's best work, after the *Vie de Bohème,* is *les Buveurs d'eau.* This is a serious study of a society of artists to which Murger once belonged. The privations which these young men endured with Spartan fortitude, are very affecting. Peculiarly horrible is the account of a grandmother who gave up a life of comparative ease to follow her grandsons into their artistic obscurity and to support them by working as a servant, and of the effect of this situation upon the artists themselves. In some respects *les Buveurs d'eau* is superior to the *Vie de Bohème;* but its heroes seem fanatics rather than men, and it has a long idyllic love story, excellent in itself, but foreign to the principal theme. It is an obvious attempt to describe young artists who are more serious members of society than Rodolphe, Marcel and their friends.

We have seen that the dramatization of the *Vie de Bohème* was written in collaboration with Barrière. The heroes of *la Bohème* can best be presented when there is ample room for description and local color. There is more unnaturalness in the play than in the stories. The characters are more typical, and correspondingly less natural. Mimi is very important in the play. In a sense she is the prototype of the stage heroine from the *demi-monde.* Murger's friends were deeply moved at the first performance of the piece, and especially by the actress who played the part of Mimi. Murger's other plays are short, unambitious sketches.

Murger's volume of verse, *les Nuits d'hiver,* is admirable. The author's humor is here lacking, but his poems are graceful. Many of them deal with his Bohemian life. The themes are chiefly misery, death, love, joy, and poverty. Perhaps the best poems are the *Chanson à Musette, la Jeunesse n'a qu'un temps,* and *les Émigrants.*

Operas.—There are at least three operas based directly on the *Vie de Bohème—la petite Bohème,* words by Paul Ferrier, music by Henri Hirchmann, *la Bohème* by Puccini (1896), and *la Bohème* by Leoncavallo (1897). Of these operas Puccini's is the one usually played. The libretto, written by G. Giacosa and L. Illica, is derived from the original stories, and not from the play. The scenes are in the rooms of Rodolphe and Marcel, and in the *Café Momus.* The rôle of Mimi is prominent. The music is deservedly popular for its melody and its liveliness.

What is a Bohemian?—The term Bohemians has long been applied by the French to gypsies, because they were once thought to come from Bohemia. In modern French, a Bohemian is a sort of gypsy of society, an individual who lives a free or irregular life, and especially an artist, a literary person, or an actor. The word is also loosely applied to any vagabond or adventurer. Bohemia is the section of society of which the Bohemian is a part. In English we use the word Bohemian about as the French use it. There is a tendency to apply the name to any one in a highly cultivated community who departs markedly from the conventions of the community, who sets some æsthetic interest above material prosperity, and is generally impractical, unorderly, or peculiar. The Bohemian usually has scant means of support.

The name Bohemia has often been attached specifically to the group of young men who grew into maturity during the latter years of the reign of Louis Philippe. Murger belonged to this group, and his book was influential in supplying a name for his literary and social environment. Louis Philippe came to the throne through the revolution of 1830, and he was deposed in the republican revolution of 1848. His peaceful reign was marked by conservative policies, and by business prosperity. It produced a group of young dreamers like the typical Bohemians.

Murger's preface to the *Vie de Bohème* contains an excellent discussion of the term Bohemian, which may be summarized as follows.

> The Bohemians of this book are not the conventional rogues and murderers of popular dramatists. They belong to a class that has existed in all societies. Homer was a Bohemian because he lived from hand to mouth while traversing Ionia, eating the bread of charity, and hanging his lyre at the hearth of hospitality after his songs about Troy and Helen. Among more modern Bohemians were the mediæval minstrels, and later still Pierre Gringoire, Villon, Marot, Tasso, Molière, Shakespeare, Rousseau and others. [Next comes a somber point of view.] "Bohemia is a stage in the life of an artist; it is the preface to the Academy, the Hospital, or the Morgue." Bohemians are of three classes: first, people unknown and condemned to be forever unknown, disciples of art for art's sake, small groups that succumb to misery; second, amateurs who desert their family and their natural career for the deceptive romance of Bohemia (these are the most obscure of all); third, the real disciples of art who have a chance of success, who are ambitious, wide-awake, courageous, pursuing from morning to night "that wild beast that we call the five-franc piece."

Obviously, there are two widely different phases of Bohemia, one bright and romantic, the other dark and depressing. Any critic or observer who considers only one phase must get a false idea of the whole. First there is joyousness, the spirit of carefree, irrepressible youth that makes merry under any circumstances. When in a mood of gayety the denizens of Bohemia are indeed enviable. They enjoy youth, friendship, love, and freedom from restraint. They deride the solid respectability of the middle classes and go their way rejoicing, with scarcely a thought for the future.

On the other hand, there is the element of poverty. The Bohemian leads a life of vicissitudes. Today he may have his fling, and tomorrow he may be plunged into gloom. The existence that has just seemed ideal, becomes one of despair. Hunger, cold, debts, and lovers' quarrels make life almost intolerable. In his letters, Murger writes of one young artist who had nothing to eat for three days and three nights, and of another who for a whole week ate only a few raw potatoes sent to him by his mother from the country. Another went through a whole winter with nothing warmer to wear than a workman's blouse. Karol, said to have been the most kind-hearted of the Bohemians, lived for a time almost literally, like Rodolphe, "on the Avenue de Saint-Cloud, on the fifth branch of the third tree to the left as you leave the *Bois de Boulogne.*" Throughout these sufferings the young Bohemians seem to have preserved remarkably well their good humor, their brotherhood, their fortitude, and their enthusiasm.

Scènes de la vie de Bohème.—Murger's masterpiece relates the adventures of four friends,—Rodolphe, the poet; Marcel, the painter; Schaunard, the musician; and Colline, the philosopher. Rodolphe is Murger himself, and the others are taken from his circle of friends, Marcel and Colline each being a composite of two individuals. The stories do not form a novel. Each one is complete in itself, but there is unity in the recurrence of the same characters. Murger wrote the stories hastily for the periodical *le Corsaire.* All the stories are founded on fact, and sometimes even the most insignificant actions are taken from real life. Many of the incidents can be traced directly to their sources. We have in some cases the testimony of eyewitnesses, including Murger and Schanne, the original of Schaunard. It is to be understood that Murger exercised discretion in varying and combining the incidents that he drew from experience.

The *Vie de Bohème* appeared when realism was coming into its own in France. The most truly popular book of the early forties had been *les Trois Mousquetaires* by Dumas. Balzac was of course read a great deal between 1840 and

1850. Murger's sketches were very opportune. Without being a pioneer work of realism, they are recognized as among the comparatively early realistic stories.

Murger was obsessed by the idea of youth. The word occurs again and again in his prose and poetry. His successful works are all recollections of his early days.

The reader of *la Vie de Bohème* is first impressed by the humor of the book. This humor has by some critics been likened to English humor, in that it deals with individual peculiarities. There is some truth in this, and yet the sparkling verbal wit and the joyous contempt for material luxury seem thoroughly French. The first part of the book is in general humorous. It illustrates the first traits of Bohemianism, gayety, friendship, love, and freedom from restraint. These qualities have given the book its romantic glamor.

As we read along, we are often reminded of the poverty and suffering that lie behind the gay surface of Bohemian life. Toward the end of the book sadness is more prominent than joy. Tragedies of love come to light. Murger's attitude toward unhappy love is generally described as one of tender melancholy, or as resignation to the inevitableness of disillusionment. That the Bohemians should have mistresses was a matter of course. The characters of Musette and Mimi have become famous. Musette represents gayety and success, while Mimi is more serious and more unfortunate. The death by consumption of Mimi is one of the most touching scenes in the book. The quarrels, infidelities, and reconciliations of the *Scènes* are more lifelike than the idealization of Mimi in the play.

In the very last chapter of the *Vie de Bohème* Rodolphe and Marcel are on the way to professional success. The picture is not altogether an attractive one. Marcel in particular looks back to his early struggles with almost bourgeois complacency. For this point of view Murger has been taxed with a species of treachery toward his old friends, as if he had chosen to mock them and attack them when he was himself successful.[1] This is not a just accusation. The strictures occasionally found cannot counterbalance the obvious love of Murger for the friends of his youth. That he was glad to escape the miseries of Bohemian life should occasion no surprise. One of his biographers[2] and friends, in a sane review of the matter, recognizes Murger's loyalty, but says that he was of a soft, easy-going nature and yielded to bourgeois influence to a certain extent.

The *Vie de Bohème* is successful because it is drawn from real life. The humor is not fictitious or fanciful, but based on reality. However grotesque the adventures may seem here and there, they are always founded on something that happened. They ring true, because they are intrinsically possible. Many books that deal with unusual people like Bohemians, athletes, noblemen, criminals, etc., err by trying to point out only the peculiarities of these people. Sometimes the very conscientiousness of an effort to describe a particular class of society makes it unreal. This is partly true of Murger's later works. But in the *Vie de Bohème* he had no ulterior purpose. Like Cervantes, he wrote what came into his mind. He told things that seemed funny to him, and told things that seemed sad, and the result is that the characters and incidents are fundamentally real, although exaggerated in detail.

The chief themes of *la Bohème* are debts, food and drink, art, and love. Objection has been made to the Bohemians

[1] He does attack Bohemian isolation, pride and selfishness in *les Buveurs d'eau* and in *le Manchon de Francine*, one of the stories in *la Vie de Bohème*.

[2] Adrien Lelioux: see bibliographical note.

because they did not pay their debts. This is a valid objection, but it is only fair to say that they were extremely poor, and very young. Furthermore, documents show that they did often pay their debts scrupulously, and careful reading of the *Vie de Bohème* proves that they really meant to pay eventually.

The book is one of those occasional pieces of literature that describe well, for the first time, a class in society. Like the *Lazarillo de Tormes,* like *Gil Blas,* like *Robinson Crusoe* and *The Luck of Roaring Camp,* it opens the eyes of the public to a world unknown and yet familiar. Technical defects of style and lack of a carefully reasoned attitude toward life cannot offset this fundamental truth. The *Vie de Bohème* is the real prototype of those works that deal with the limited, but fascinating, world of Bohemia.

BIBLIOGRAPHICAL NOTE

Among many works on Murger, the following have been found most useful by the editor.

Histoire de Murger, pour servir à l'histoire de la vraie Bohème, par trois buveurs d'eau (A. F. Lelioux, Léon Noël and Félix Tournachon, called Nadar), Paris, Hetzel, 1862. This book, written by friends of Murger and fellow-Bohemians, is the best account. It is inspired by affection and admiration, but it is critical and supplies many documents.

Henry Murger et la Bohème, by Alfred Delvau, Paris, Librairie de Mme. Bachelin-Deflorenne, 1866. A sympathetic account of Murger, with an unfavorable attitude toward the *Vie de Bohème* as a work of art.

Souvenirs de Schaunard, by Schanne, Paris, 1887. An excellent account of sources, written by one of the heroes of the *Vie de Bohème.*

Études sur Henry Murger, published in the back of *les Nuits d'hiver,* Paris, Lévy, 1861. These are obituary notices.

Sorrow and Song: Studies of Literary Struggles, by Henry Curwen, London, Henry S. King, 1873. Vol. I, pp. 1–97: *Henry Murger.* A good account of Murger by an Englishman.

SCÈNES DE LA VIE DE BOHÈME

SCÈNES DE LA VIE DE BOHÈME

I

COMMENT FUT INSTITUÉ LE CÉNACLE DE LA BOHÈME

Voici comment le hasard, que les sceptiques appellent l'homme d'affaires du bon Dieu, mit un jour en contact les individus dont l'association fraternelle devait plus tard constituer le cénacle formé de cette fraction de la *Bohème* que l'auteur de ce livre a essayé de faire connaître au public.

Un matin (c'était le 8 avril), Alexandre Schaunard, qui cultivait les deux arts libéraux de la peinture et de la musique, fut brusquement réveillé par le carillon que lui sonnait un coq du voisinage qui lui servait d'horloge.

—Sacrebleu![1] s'écria Schaunard, ma pendule à plumes[2] avance, il n'est pas possible qu'il soit déjà aujourd'hui.

En disant ces mots, il sauta brusquement hors d'un meuble de son industrieuse invention, et qui, jouant le rôle de lit pendant la nuit (ce n'est pas pour dire,[3] mais il le jouait bien mal), remplissait, pendant le jour, le rôle de tous les autres meubles, absents par suite du froid rigoureux[4] qui avait signalé le précédent hiver: une espèce de meuble Maître Jacques,[5] comme on voit.

Lorsqu'il eut vêtu[6] sa toilette d'intérieur, l'artiste alla ouvrir sa fenêtre et son volet. Un rayon de soleil, pareil à une flèche de lumière, pénétra brusquement dans la chambre et le força à écarquiller ses yeux encore voilés par les brumes du sommeil; en même temps cinq heures sonnèrent à un clocher d'alentour.

—C'est l'aurore elle-même, murmura Schaunard; c'est étonnant. Mais, ajouta-t-il, en consultant un calendrier ac-
5 croché à son mur, il n'y a pas moins erreur. Les indications de la science affirment qu'à cette époque de l'année, le soleil ne doit se lever qu'à cinq heures et demie; il n'est que cinq heures, et le voilà déjà debout. Zèle coupable! cet astre est dans son tort, je porterai plainte au bureau des
10 Longitudes.[7] Cependant, ajouta-t-il, il faudrait [8] commencer à m'inquiéter un peu; c'est bien aujourd'hui le lendemain d'hier, et, comme hier était le 7, à moins que Saturne [9] ne [10] marche à reculons, ce doit être aujourd'hui le 8 avril, et si j'en crois les discours de ce papier, dit Schaunard en allant
15 relire une formule de congé par huissier affichée à la muraille, c'est aujourd'hui, à midi précis, que je dois avoir vidé ces lieux et compté, ès [11] mains de M. Bernard, mon propriétaire, une somme de soixante-quinze francs pour trois termes échus, et qu'il me réclame dans une fort mauvaise écriture. J'avais,
20 comme toujours, espéré que le hasard se chargerait de liquider cette affaire; mais il paraîtrait qu'il n'a pas eu le temps. Enfin, j'ai encore six heures devant moi; en les employant bien, peut-être que [12] . . . Allons . . . , allons, en route, ajouta Schaunard.

25 Il se disposait à vêtir un paletot dont l'étoffe, primitivement à longs poils, était atteinte d'une profonde calvitie, lorsque tout à coup, comme s'il eût été mordu [13] par une tarentule, il se mit à exécuter dans sa chambre une chorégraphie de sa composition qui, dans les bals publics, lui
30 avait souvent mérité les honneurs de la gendarmerie.

—Tiens! tiens! s'écria-t-il, c'est particulier comme l'air du matin vous [14] donne des idées; il me semble que je suis sur la piste de mon air. Voyons . . .

Et Schaunard, à moitié nu, alla s'asseoir devant son piano, et, après avoir réveillé l'instrument endormi par un orageux placage d'accords, il commença, tout en monologuant,[15] à poursuivre sur le clavier la phrase mélodique qu'il cherchait depuis si longtemps. 5

—*Do, sol, mi, do, la, si, do, ré,* boum, boum. *Fa, ré, mi, ré.* Aïe! aïe! il est faux comme Judas, ce *ré,* fit Schaunard en frappant avec violence sur la note aux sons douteux. Voyons le mineur . . . Il doit dépeindre adroitement le chagrin d'une jeune personne qui effeuille une marguerite 10 blanche dans un lac bleu. Voilà une idée qui n'est pas en bas âge. Enfin, puisque c'est la mode, et qu'on ne trouverait [16] pas un éditeur qui osât [17] publier une romance où il n'y aurait pas de lac bleu, il faut s'y conformer . . . *Do, sol, mi, do, la, si, do, ré;* je ne suis pas mécontent de ceci, ça 15 donne assez l'idée d'une pâquerette, surtout aux gens qui sont forts en botanique. *La, si, do, ré,* gredin de *ré,* va! Maintenant, pour bien faire comprendre le lac bleu, il faudrait quelque chose d'humide, d'azuré, de clair de lune (car la lune en est aussi); tiens, mais ça vient, n'oublions pas le 20 cygne . . . *Fa, mi, la, sol,* continua Schaunard en faisant clapoter les notes cristallines de l'octave d'en haut. Reste l'adieu de la jeune fille, qui se décide à se jeter dans le lac bleu, pour rejoindre son bien-aimé enseveli sous la neige. Ce dénoûment n'est pas clair, murmura Schaunard, mais 25 il est intéressant. Il faudrait quelque chose de tendre, de mélancolique; ça vient, ça vient, voilà une douzaine de mesures qui pleurent comme des Madeleines,[18] ça fend le cœur! Brr! brr! fit Schaunard en frissonnant, si [19] ça pouvait fendre le bois! Il y a dans mon alcôve une solive qui 30 me gêne beaucoup quand j'ai du monde . . . à dîner; je ferais un peu de feu avec [20] . . . *la, la . . . ré, mi,* car je sens que l'inspiration m'arrive enveloppée d'un rhume de cerveau. Ah! bah! tant pis! continuons de noyer ma jeune fille.

Et tandis que ses doigts tourmentaient le clavier palpitant, Schaunard, l'œil allumé, l'oreille tendue, poursuivait sa mélodie, qui, pareille à un sylphe insaisissable, voltigeait au milieu du brouillard sonore que les vibrations de l'instrument semblaient dégager dans la chambre.

—Voyons maintenant, reprit Schaunard, comment ma musique s'accroche avec les paroles de mon poëte.

Et il fredonna d'une voix désagréable ce fragment de poésie employée spécialement pour les opéras comiques et les légendes de mirliton:

> La blonde jeune fille,
> Vers le ciel étoilé,
> En ôtant sa mantille,
> Jette un regard voilé,
> Et, dans l'onde *azurée*
> Du lac aux flots *d'argent*. . . .

—Comment, comment! fit Schaunard, transporté d'une juste indignation, l'onde azurée d'un lac d'argent, je ne m'étais pas encore aperçu de celle-là,[21] c'est trop romantique, à la fin, ce poëte est un idiot, il n'a jamais vu d'argent ni de lac. Sa ballade est stupide, d'ailleurs; la coupe des vers me gênait pour ma musique; à l'avenir je composerai mes poëmes moi-même, et pas plus tard que tout de suite; comme je me sens en train, je vais fabriquer une maquette de couplets pour y adapter ma mélodie.

Et Schaunard, prenant sa tête entre ses deux mains, prit l'attitude grave d'un mortel qui entretient des relations avec les Muses.

Au bout de quelques minutes il avait mis au monde une de ces difformités que les faiseurs de libretti appellent avec raison des *monstres,* et qu'ils improvisent assez facilement pour servir de canevas provisoire à l'inspiration du compositeur.

Seulement, le monstre de Schaunard avait le sens commun, il exprimait assez clairement l'inquiétude éveillée dans son esprit par l'arrivée brutale de cette date: le 8 avril! 5

Voici ce couplet:

Huit et huit font seize,
J' pose six et retiens un. 10
Je serais bien aise
De trouver quelqu'un
De pauvre et d'honnête
Qui m' prête huit cents francs,
Pour payer mes dettes
Quand j'aurai le temps. 15

REFRAIN

Et quand sonnerait au cadran *suprême*
Midi moins un quart,
Avec probité je paîrais mon *terme (ter.)*
A monsieur Bernard. 20

—Diable, dit Schaunard en relisant sa composition, *terme et suprême,* voilà des rimes qui ne sont pas millionnaires, mais je n'ai point le temps de les enrichir. Essayons maintenant comment les notes se marieront avec les syllabes. 25

Et avec cet affreux organe nasal qui lui était particulier, il reprit de nouveau l'exécution de sa romance. Satisfait sans doute du résultat qu'il venait d'obtenir, Schaunard se félicita par une grimace jubilatoire qui, semblable à un accent circonflexe, se mettait à cheval sur son nez chaque fois qu'il était content de lui-même. Mais cette orgueilleuse béatitude n'eut pas une longue durée. 30

Onze heures sonnèrent au clocher prochain; chaque coup

du timbre entrait dans la chambre et s'y perdait en sons railleurs qui semblaient dire au malheureux Schaunard: Es-tu prêt?

L'artiste bondit sur sa chaise.

—Le temps court comme un cerf, dit-il . . . il ne me reste plus que trois quarts d'heure pour trouver mes soixante-quinze francs et mon nouveau logement. Je n'en viendrai jamais à bout, ça rentre trop dans le domaine de la magie. Voyons, je m'accorde cinq minutes pour trouver; et, s'enfonçant la tête entre les deux genoux, il descendit dans les abîmes de la réflexion.

Les cinq minutes s'écoulèrent, et Schaunard redressa la tête sans avoir rien trouvé qui ressemblât à soixante-quinze francs.

—Je n'ai décidément qu'un parti à prendre pour sortir d'ici, c'est de m'en aller tout naturellement; il fait beau temps, mon ami le hasard se promène peut-être au soleil. Il faudra bien qu'il me donne l'hospitalité jusqu'à ce que j'aie trouvé le moyen de me liquider avec M. Bernard.

Schaunard, ayant bourré de tous les objets qu'elles pouvaient contenir les poches de son paletot, profondes comme des caves, noua ensuite dans un foulard quelques effets de linge et quitta sa chambre, non sans adresser en quelques paroles ses adieux à son domicile.

Comme il traversait la cour, le portier de la maison, qui semblait le guetter, l'arrêta soudain.

—Hé, monsieur Schaunard, s'écria-t-il en barrant le passage à l'artiste, est-ce que vous n'y pensez pas? c'est aujourd'hui le 8.

> Huit et huit font seize,
> J' pose six et retiens un,

fredonna Schaunard; je ne pense qu'à ça!

—C'est que vous êtes un peu en retard pour votre déménagement, dit le portier; il est onze heures et demie, et le nouveau locataire à qui on a loué votre chambre peut arriver d'un moment à l'autre. Faudrait voir à [22] se dépêcher!

—Alors, répondit Schaunard, laissez-moi donc passer: je vais chercher une voiture de déménagement. 5

—Sans doute, mais auparavant de [23] déménager il y a une petite formalité à remplir. J'ai ordre de ne pas vous laisser enlever un cheveu sans que vous ayez payé les trois termes échus. Vous êtes en mesure probablement? 10

—Parbleu! dit Schaunard, en faisant un pas en avant.

—Alors, reprit le portier, si vous voulez entrer dans ma loge, je vais vous donner vos quittances.

—Je les prendrai en revenant.

Mais pourquoi pas tout de suite? dit le portier avec insistance. 15

—Je vais chez le changeur . . . Je n'ai pas de monnaie.

Ah! ah! reprit l'autre avec inquiétude, vous allez chercher de la monnaie? Alors, pour vous obliger, je garderai ce petit paquet que vous avez sous le bras et qui pourrait vous embarrasser. 20

—Monsieur le concierge, dit Schaunard avec dignité, est-ce que vous vous méfieriez de moi, par hasard? Croyez-vous donc que j'emporte mes meubles dans un mouchoir? 25

—Pardonnez-moi, Monsieur, répliqua le portier en baissant un peu le ton, c'est ma consigne. M. Bernard m'a expressément recommandé de ne pas vous laisser enlever un cheveu avant que vous ne l'ayez payé.

—Mais regardez donc, dit Schaunard en ouvrant son paquet, ce ne sont pas des cheveux,[24] ce sont des chemises que je porte à la blanchisseuse qui demeure à côté du changeur, à vingt pas d'ici. 30

—C'est différent, fit [25] le portier après avoir examiné le contenu du paquet. Sans indiscrétion, monsieur Schaunard, pourrais-je vous demander votre nouvelle adresse?

—Je demeure rue de Rivoli,[26] répondit froidement l'artiste qui, ayant mis le pied dans la rue, gagna le large au 5 plus vite.

—Rue de Rivoli, murmura le portier en se fourrant les doigts dans son nez, c'est bien drôle qu'on lui ait loué rue de Rivoli et qu'on ne soit pas même venu prendre des renseignements ici, c'est bien drôle ça. Enfin il n'emportera 10 pas toujours ses meubles sans payer. Pourvu que l'autre locataire n'arrive pas emménager juste au moment où M. Schaunard déménagera! Ça me ferait un *aria* [27] dans mes escaliers. Allons, bon, fit-il tout à coup en passant la tête au travers du vasistas, le voilà justement, mon nouveau 15 locataire.

Suivi d'un commissionnaire qui paraissait ne point plier sous son faix, un jeune homme coiffé d'un chapeau blanc Louis XIII [28] venait en effet d'entrer sous le vestibule.

—Monsieur, demanda-t-il au portier qui était allé au-20 devant de lui, mon appartement est-il libre?

—Pas encore, Monsieur, mais il va l'être.[29] La personne qui l'occupe est allée chercher la voiture qui doit la [30] déménager. Au reste, en attendant, Monsieur pourrait faire déposer ses meubles dans la cour.

25 —Je crains qu'il ne pleuve, répondit le jeune homme en mâchant tranquillement un bouquet de violettes qu'il tenait entre les dents; mon mobilier pourrait s'abîmer. Commissionnaire, ajouta-t-il en s'adressant à l'homme qui était resté derrière lui, porteur d'un crochet chargé d'objets dont 30 le portier ne s'expliquait pas bien la nature, déposez cela sous le vestibule, et retournez à mon ancien logement prendre ce qu'il y reste encore de meubles précieux et d'objets d'art.

Le commissionnaire rangea au long d'un mur plusieurs châssis [31] d'une hauteur de six ou sept pieds et dont les feuilles, reployées en ce moment les unes sur les autres, paraissaient pouvoir se développer à volonté.

—Tenez! dit le jeune homme au commissionnaire en ouvrant à demi l'un des volets et en lui désignant un accroc qui se trouvait dans la toile, voilà un malheur, vous m'avez étoilé ma grande glace de Venise; tâchez de faire attention dans votre second voyage, prenez garde surtout à ma bibliothèque.

—Qu'est-ce qu'il veut dire avec sa glace de Venise? marmotta le portier en tournant d'un air inquiet autour des châssis posés contre le mur, je ne vois pas de glace; mais c'est une plaisanterie sans doute, je ne vois qu'un paravent; enfin, nous allons bien voir ce qu'on va apporter au second voyage.

—Est-ce que votre locataire ne va pas bientôt me laisser la place libre? Il est midi et demi et je voudrais emménager, dit le jeune homme.

—Je ne pense pas qu'il tarde maintenant, répondit le portier; au reste, il n'y a pas encore de mal, puisque vos meubles ne sont pas arrivés, ajouta-t-il en appuyant sur ces mots.

Le jeune homme allait répondre, lorsqu'un dragon en fonction de planton entra dans la cour.

—M. Bernard? demanda-t-il en tirant une lettre d'un grand portefeuille de cuir qui lui battait les flancs.

—C'est ici, répondit le portier.

—Voici une lettre pour lui, dit le dragon, donnez-m'en le reçu et il tendit au concierge un bulletin de dépêches, que celui-ci alla signer dans sa loge.

—Pardon si je vous laisse seul, dit le portier au jeune

homme qui se promenait dans la cour avec impatience; mais voici une lettre du ministère pour M. Bernard, mon propriétaire, et je vais la lui monter.

Au moment où son portier entrait chez lui, M. Bernard
5 était en train de se faire la barbe.

—Que me voulez-vous, Durand?

—Monsieur, répondit celui-ci en soulevant sa casquette, c'est un planton qui vient d'apporter cela pour vous, ça vient du ministère.

10 Et il tendit à M. Bernard la lettre dont l'enveloppe était timbrée au sceau du département de la guerre.

—O mon Dieu! fit M. Bernard, tellement ému qu'il faillit se faire une entaille avec son rasoir, du ministère de la guerre! Je suis sûr que c'est ma nomination au grade de
15 chevalier de la Légion d'honneur,[32] que je sollicite depuis si longtemps; enfin, on rend justice à ma bonne tenue. Tenez, Durand, dit-il en fouillant dans la poche de son gilet, voilà cent sous pour boire à ma santé. Tiens, je n'ai pas ma bourse sur moi, je vais vous les donner tout à l'heure,
20 attendez.

Le portier fut tellement ému par cet accès de générosité foudroyante, auquel son propriétaire ne l'avait pas habitué, qu'il remit sa casquette sur sa tête.

Mais M. Bernard, qui en d'autres moments aurait sévè-
25 rement blâmé cette infraction aux lois de la hiérarchie sociale, ne parut pas s'en apercevoir. Il mit ses lunettes, rompit l'enveloppe avec l'émotion respectueuse d'un vizir qui reçoit un firman du sultan, et commença la lecture de la dépêche. Aux premières lignes, une grimace épouvantable
30 creusa des plis cramoisis dans la graisse de ses joues monacales, et ses petits yeux lancèrent des étincelles qui faillirent mettre le feu aux mèches de sa perruque en broussailles.

Enfin tous ses traits étaient tellement bouleversés qu'on eût dit que sa figure venait d'éprouver un tremblement de terre.

Voici quel était le contenu de la missive écrite sur papier à tête du ministère de la guerre, apportée à franc étrier par un dragon, et de laquelle M. Durand avait donné un reçu au gouvernement :

« Monsieur et propriétaire,

» La politique qui, si l'on en croit la mythologie, est l'aïeule des belles manières, m'oblige à vous faire savoir que je me trouve dans la cruelle nécessité de ne pouvoir point satisfaire à l'usage qu'on a de payer son terme, quand on le doit surtout. Jusqu'à ce matin, j'avais caressé l'espérance de pouvoir célébrer ce beau jour, en acquittant les trois quittances [33] de mon loyer. Chimère, illusion, idéal ! Tandis que je sommeillais sur l'oreiller de la sécurité, le guignon, *anankè* [34] en grec, le guignon dispersait mes espérances. Les rentrées sur lesquelles je comptais, Dieu que [35] le commerce va mal !!! ne se sont pas opérées, et sur les sommes considérables que je devais toucher, je n'ai encore reçu que trois francs, qu'on m'a prêtés, je ne vous les offre pas. Des jours meilleurs viendront pour notre belle France et pour moi, n'en doutez pas, Monsieur. Dès qu'ils auront lui,[36] je prendrai des ailes pour aller vous en avertir et retirer de votre immeuble les choses précieuses que j'y ai laissées, et que je mets sous votre protection et celle de la loi qui, avant un an, vous en interdit le négoce, au cas où vous voudriez le tenter afin de rentrer dans les sommes pour lesquelles vous êtes crédité sur le registre de ma probité. Je vous recommande spécialement mon piano, et le grand cadre dans lequel se trouvent soixante boucles de cheveux dont les couleurs différentes parcourent toute la gamme des nuances capillaires, et qui ont été enlevées sur le front des Grâces par le scalpel de l'Amour.

» Vous pouvez donc, Monsieur et propriétaire, disposer des lambris sous lesquels j'ai habité. Je vous en octroie ma permission ici-bas revêtue de mon seing.

» Alexandre SCHAUNARD. »

Lorsqu'il eut achevé cette épître, que l'artiste avait écrite dans le bureau d'un de ses amis, employé au ministère de la guerre, M. Bernard la froissa avec indignation; et comme son regard tomba sur le père Durand, qui attendait la gratification promise, il lui demanda brutalement ce qu'il faisait là.

—J'attends, Monsieur!

—Quoi?

—Mais la générosité que Monsieur . . . à cause de la bonne nouvelle! balbutia le portier.

—Sortez! Comment, drôle! vous restez devant moi la tête couverte!

—Mais, Monsieur . . .

—Allons, pas de réplique, sortez, ou plutôt, non, attendez-moi. Nous allons monter dans la chambre de ce gredin d'artiste, qui déménage sans me payer.

—Comment, fit le portier, M. Schaunard? . . .

—Oui, continua le propriétaire dont la fureur allait comme chez Nicollet.[37] Et s'il a emporté le moindre objet, je vous chasse, entendez-vous? je vous chââsse.[38]

—Mais c'est impossible, ça, murmura le pauvre portier, M. Schaunard n'est pas déménagé; il est allé chercher de la monnaie pour payer Monsieur, et commander la voiture qui doit emporter ses meubles.

—Emporter ses meubles! exclama M. Bernard; courons, je suis sûr qu'il est en train; il vous a tendu un piège pour vous éloigner de votre loge et faire son coup, imbécile que vous êtes.

—Ah! mon Dieu! imbécile que je suis! s'écria le père Durand tout tremblant devant la colère olympienne de son supérieur qui l'entraînait dans l'escalier.

Comme ils arrivaient dans la cour, le portier fut apostrophé par le jeune homme au chapeau blanc.

—Ah çà! concierge, s'écria-t-il, est-ce que je ne vais pas bientôt être mis en possession de mon domicile? est-ce aujourd'hui le 8 avril? n'est-ce pas ici que j'ai loué, et ne vous ai-je pas donné le denier à Dieu,[39] oui ou non?

—Pardon, Monsieur, pardon, dit le propriétaire, je suis à vous. Durand, ajouta-t-il en se tournant vers son portier, je vais répondre moi-même à Monsieur. Courez là-haut, ce gredin de Schaunard est sans doute rentré pour faire ses paquets; vous l'enfermerez, si vous le surprenez, et vous redescendrez pour aller chercher la garde.

Le père Durand disparut dans l'escalier.

—Pardon, Monsieur, dit en s'inclinant le propriétaire au jeune homme avec qui il était resté seul, à qui ai-je l'avantage de parler?

—Monsieur, je suis votre nouveau locataire; j'ai loué une chambre dans cette maison au sixième,[40] et je commence à m'impatienter que ce logement ne soit pas vacant.

—Vous me voyez désolé, Monsieur, répliqua M. Bernard, une difficulté s'élève entre moi et un de mes locataires, celui que vous devez remplacer.

—Monsieur, Monsieur! s'écria d'une fenêtre située au dernier étage de la maison, le père Durand, M. Schaunard n'y est pas . . . mais sa chambre y est . . . Imbécile que je suis, je veux dire qu'il n'a rien emporté, pas un cheveu, Monsieur.

—C'est bien, descendez, répondit M. Bernard. Mon Dieu! reprit-il en s'adressant au jeune homme, un peu de patience, je vous prie. Mon portier va descendre à la cave les objets qui garnissent la chambre de mon locataire insolvable, et dans une demi-heure vous pourrez en prendre possession; d'ailleurs vos meubles ne sont pas encore arrivés.

—Pardon, Monsieur, répondit tranquillement le jeune homme.

M. Bernard regarda autour de lui et n'aperçut que les grands paravents qui avaient déjà inquiété son portier.

—Comment! pardon . . . comment . . . murmura-t-il, mais je ne vois rien.

—Voilà, répondit le jeune homme en déployant les feuilles de châssis et en offrant à la vue du propriétaire ébahi un magnifique intérieur de palais avec colonnes de jaspe, bas-reliefs, et tableaux de grands maîtres.

—Mais vos meubles? demanda M. Bernard.

—Les voici, répondit le jeune homme en indiquant le mobilier somptueux qui se trouvait peint dans le *palais* qu'il venait d'acheter à l'hôtel Bullion,[41] où il faisait partie d'une vente de décorations d'un théâtre de société . . .

—Monsieur, reprit le propriétaire, j'aime à croire que vous avez des meubles plus sérieux que ceux-ci . . .

—Comment, du Boule tout pur!

—Vous comprenez qu'il me faut des garanties pour mes loyers.

—Fichtre! un palais ne vous suffit pas pour répondre du loyer d'une mansarde?

—Non, Monsieur, je veux des meubles, des vrais meubles [42] en acajou!

—Hélas! Monsieur, ni l'or ni l'acajou ne nous rendent heureux, a dit un ancien. Et puis, moi, je ne peux pas le souffrir, c'est un bois trop bête, tout le monde en a.

Courtesy of George Barrie's Sons

LES VOICI

—Mais enfin, Monsieur, vous avez bien un mobilier, quel qu'il soit [43] ?

—Non, ça prend trop de place dans les appartements, dès qu'on a des chaises on ne sait plus où s'asseoir.

—Mais cependant vous avez un lit! Sur quoi reposez-vous?

—Je me repose sur la Providence, Monsieur!

—Pardon, encore une question, dit M. Bernard, votre profession, s'il vous plaît?

En ce moment même le commissionnaire du jeune homme, arrivant de son second voyage, entrait dans la cour. Parmi les objets dont étaient chargés ses crochets, on remarquait un chevalet.

—Ah! Monsieur, s'écria de père Durand avec terreur [44]; et il montrait le chevalet au propriétaire. C'est un peintre!

—Un artiste, j'en étais sûr? exclama à son tour M. Bernard, et les cheveux de sa perruque se dressèrent d'effroi; un peintre!!! Mais vous n'avez donc pas pris d'information sur Monsieur? reprit-il en s'adressant au portier. Vous ne saviez donc pas ce qu'il faisait?

—Dame, répondit le pauvre homme, il m'avait donné *cinque* francs de *dernier* [45] à Dieu; est-ce que je pouvais me douter . . .

—Quand vous aurez fini, demanda à son tour le jeune homme.

—Monsieur, reprit M. Bernard en chaussant ses lunettes d'aplomb sur son nez, puisque vous n'avez pas de meubles, vous ne pouvez pas emménager. La loi autorise à refuser un locataire qui n'apporte pas de garantie.

—Et ma parole, donc? fit l'artiste avec dignité.

—Ça ne vaut pas des meubles . . . vous pouvez chercher un logement ailleurs. Durand va vous rendre votre denier à Dieu.

—Hein? fit le portier avec stupeur, je l'ai mis à la caisse d'épargne.

—Mais, Monsieur, reprit le jeune homme, je ne puis pas trouver un autre logement à la minute. Donnez-moi au moins l'hospitalité pour un jour.

—Allez loger à l'hôtel, répondit M. Bernard. A propos, ajouta-t-il vivement en faisant une réflexion subite, si vous le voulez, je vous louerai en garni la chambre que vous deviez occuper, et où se trouvent les meubles de mon locataire insolvable. Seulement vous savez que dans ce genre de location le loyer se paye d'avance.

—Il s'agirait de savoir ce que vous allez demander pour ce bouge? dit l'artiste, forcé d'en passer par là.

—Mais le logement est très convenable, le loyer sera de vingt-cinq francs par mois, en faveur des circonstances. On paye d'avance.

—Vous l'avez déjà dit; cette phrase-là ne mérite pas les honneurs du bis, fit le jeune homme en fouillant dans sa poche. Avez-vous la monnaie de cinq cents francs?

—Hein? demanda le propriétaire stupéfait, vous dites?

—Eh bien, la moitié de mille, quoi! Est-ce que vous n'en avez jamais vu, ajouta l'artiste, en faisant passer le billet devant les yeux du propriétaire et du portier qui, à cette vue, parurent perdre l'équilibre.

—Je vais vous faire rendre, reprit M. Bernard respectueusement: ce ne sera que vingt francs à prendre, puisque Durand vous rendra le denier à Dieu.

—Je le lui laisse, dit l'artiste, à la condition qu'il viendra tous les matins, me dire le jour et la date du mois, le quartier de la lune, le temps qu'il fera et la forme de gouvernement sous laquelle nous vivrons.

—Ah! Monsieur, s'écria le père Durand en décrivant une courbe de quatre-vingt-dix degrés.

—C'est bon, brave homme, vous me servirez d'almanach. En attendant vous allez aider mon commissionnaire à m'emménager.

—Monsieur, dit le propriétaire, je vais vous envoyer votre quittance.

Le soir même, le nouveau locataire de M. Bernard, le peintre Marcel, était installé dans le logement du fugitif Schaunard transformé en palais.

Pendant ce temps-là, ledit Schaunard battait dans Paris ce qu'on appelle le rappel de la monnaie.

Schaunard avait élevé l'emprunt à la hauteur d'un art. Prévoyant le cas où il aurait à *opprimer* les étrangers, il avait appris la manière d'emprunter cinq francs dans toutes les langues du globe. Il avait étudié à fond le répertoire des ruses que le métal emploie pour échapper à ceux qui le pourchassent; et, mieux qu'un pilote ne connaît les heures de marée, il savait les époques où les *eaux* étaient basses ou hautes, c'est-à-dire les jours où ses amis et connaissances avaient l'habitude de recevoir de l'argent. Aussi, il y avait telle maison où, en le voyant entrer le matin, on ne disait pas: Voilà M. Schaunard; mais bien: Voilà le premier ou le quinze du mois. Pour faciliter et égaliser en même temps cette espèce de dîme[46] qu'il allait prélever, lorsque la nécessité l'y forçait, sur les gens qui avaient le moyen de la lui payer, Schaunard avait dressé par ordre de quartiers et d'arrondissements un tableau alphabétique où se trouvaient les noms de tous ses amis et connaissances. En regard de chaque nom était inscrit le maximum de la somme qu'il pouvait leur emprunter relativement à leur état de fortune, les époques où ils étaient en fonds, et l'heure des repas avec le menu ordinaire de la maison. Outre ce tableau, Schaunard avait encore une petite tenue de livres parfaitement en ordre et sur laquelle il tenait un état des sommes qui lui étaient prêtées jusqu'aux plus minimes fractions, car il ne voulait pas se grever au delà d'un certain chiffre qui était encore au bout de la plume d'un oncle normand dont il devait hériter. Dès qu'il devait vingt francs à un individu, Schaunard arrêtait son compte et il le soldait intégralement d'un seul coup, dût-il [47] pour s'acquitter emprunter à ceux auxquels il devait moins. De cette manière, il entretenait toujours sur la place un certain crédit qu'il appelait sa dette flottante; et comme on savait qu'il avait l'habitude de rendre dès que ses ressources personnelles le lui permettaient, on l'obligeait volontiers quand on le pouvait.

Or, depuis onze heures du matin qu'il était parti de chez lui pour tâcher de grouper les soixante-quinze francs nécessaires, il n'avait encore réuni qu'un petit écu, dû à la collaboration des lettres M., V. et R. de sa fameuse liste: tout le reste de l'alphabet, ayant comme lui un terme à payer, l'avait renvoyé des fins de sa demande.

A six heures, un appétit violent sonna la cloche du dîner dans son estomac; il était alors à la barrière du Maine, où demeurait la lettre U. Schaunard monta chez la lettre U, où il avait son rond de serviette, quand il y avait des serviettes.

—Où allez-vous, Monsieur? lui dit le portier en l'arrêtant au passage.

—Chez M. U. . . . , répondit l'artiste.

—Il n'y est pas.

—Et Madame?

—Elle n'y est pas non plus: ils m'ont chargé de dire à un de leurs amis qui devait venir chez eux ce soir qu'ils étaient allés dîner en ville: au fait, dit le portier, si c'est vous qu'ils attendaient, voici l'adresse qu'ils ont laissée, et il tendit à Schaunard un bout de papier sur lequel son ami U. . . . avait écrit:

« Nous sommes allés dîner chez Schaunard, rue . . . n° . . . ; viens nous retrouver. »

—Très bien, dit celui-ci en s'en allant, quand le hasard s'en mêle, il fait de singuliers vaudevilles.

Schaunard se ressouvint alors qu'il se trouvait à deux pas d'un petit bouchon où deux ou trois fois il s'était nourri pour pas bien cher, et se dirigea vers cet établissement, situé chaussée du Maine, et connu dans la basse Bohème, sous le nom de *la Mère Cadet.*[48] C'est un cabaret mangeant dont la clientèle ordinaire se compose des rouliers de la route d'Orléans, des cantatrices du Montparnasse et des jeunes premiers de Bobino. Dans la belle saison, les rapins des nombreux ateliers qui avoisinent le Luxembourg, les hommes de lettres inédits, les folliculaires des gazettes mystérieuses, viennent en chœur dîner chez *la Mère Cadet,* célèbre par ses gibelottes, sa choucroûte authentique, et un petit vin blanc qui sent la pierre à fusil.

Schaunard alla se placer sous les bosquets: on appelle ainsi chez *la Mère Cadet* le feuillage clairsemé de deux ou trois arbres rachitiques dont on a fait plafonner la verdure maladive.

—Ma foi, tant pis, dit Schaunard en lui-même, je vais me donner une bosse et faire un balthazar intime.

Et, sans faire ni une ni deux, il commanda une soupe, une demi-choucroûte et deux demi-gibelottes: il avait remarqué qu'en fractionnant la portion on gagnait au moins un quart sur l'entier.

La commande de cette carte attira sur lui les regards d'une jeune personne, vêtue de blanc, coiffée de fleurs d'oranger et chaussée de souliers de bal; un voile en imitation d'imitation flottait sur ses épaules qui auraient bien dû garder l'incognito.[49] C'était une cantatrice du théâtre Montparnasse, dont les coulisses donnent pour ainsi dire dans la cuisine de *la Mère Cadet.* Elle était venue prendre son repas pendant un entr'acte de la *Lucie,*[50] et achevait en ce moment, par une demi-tasse, un dîner composé exclusivement d'un artichaut à l'huile et au vinaigre.

5 —Deux gibelottes, mâtin! dit-elle tout bas à la fille qui servait de garçon, voilà un jeune homme qui se nourrit bien. Combien dois-je, Adèle?

—Quatre d'artichaut, quatre de demi-tasse et un sou de pain. Ça nous fait neuf sous.

10 —Voilà, dit la cantatrice, et elle sortit en fredonnant:

Cet amour que Dieu me donne![51]

—Tiens, elle donne le *la,*[52] dit alors un personnage mystérieux assis à la même table que Schaunard, et à demi
15 caché derrière un rempart de bouquins.

—Elle le donne? dit Schaunard; je crois plutôt qu'elle le garde, moi. Aussi, on n'a pas idée de ça, ajouta-t-il en indiquant du doigt l'assiette où *Lucia de Lammermoor* avait consommé son artichaut, faire mariner[53] son fausset dans
20 du vinaigre!

—C'est un acide violent, en effet, ajouta le personnage qui avait déjà parlé. La ville d'Orléans en produit[54] qui jouit à juste titre d'une grande réputation.

Schaunard examina attentivement ce particulier, qui lui
25 jetait ainsi des hameçons à la causerie. Le regard fixe de ses grands yeux bleus, qui semblaient toujours chercher quelque chose, donnait à sa physionomie le caractère de placidité béate qu'on remarque chez les séminaristes. Son visage avait le ton du vieil ivoire, sauf les joues, qui étaient
30 tamponnées d'une couche de couleur brique pilée. Sa bouche paraissait avoir été dessinée par un élève de *premiers principes,* à qui on aurait poussé le coude. Les lèvres, retroussées un peu à la façon de la race nègre, laissaient voir des dents

de chien de chasse, et son menton asseyait ses deux plis sur une cravate blanche, dont l'une des pointes menaçait les astres, tandis que l'autre s'en allait piquer en terre. D'un feutre chauve, aux bords prodigieusement larges, ses cheveux échappaient en cascades blondes. Il était vêtu d'un paletot 5 noisette à pèlerine, dont l'étoffe, réduite à la trame, avait les rugosités d'une râpe. Des poches béantes de ce paletot s'échappaient des liasses de papiers et de brochures. Sans se préoccuper de l'examen dont il était l'objet, il savourait une choucroûte garnie en laissant échapper tout haut des 10 signes fréquents de satisfaction. Tout en mangeant, il lisait un bouquin ouvert devant lui, et sur lequel il faisait de temps en temps des annotations avec un crayon qu'il portait à l'oreille.

—Eh bien! s'écria tout à coup Schaunard en frappant sur 15 son verre avec son couteau, et ma gibelotte?

—Monsieur, répondit la fille, qui arriva avec une assiette à la main, il n'y en a plus; voici la dernière, et c'est Monsieur qui l'a demandée, ajouta-t-elle en déposant le plat en face de l'homme aux bouquins. 20

—Sacrebleu! s'écria Schaunard.

Et il y avait tant de désappointement mélancolique dans ce: Sacrebleu! que l'homme aux bouquins en fut touché intérieurement. Il détourna le rempart de livres qui s'élevait entre lui et Schaunard; et, mettant l'assiette entre eux deux, 25 il lui dit avec les plus douces cordes de sa voix:

—Monsieur, oserais-je vous prier de partager ce mets avec moi?

—Monsieur, répondit Schaunard, je ne veux pas vous priver. 30

—Vous me priverez donc du plaisir de vous être agréable?

—S'il en est ainsi, Monsieur. . . . Et Schaunard avança son assiette.

—Permettez-moi de ne pas vous offrir la tête, dit l'étranger.

—Ah! Monsieur, s'écria Schaunard, je ne souffrirai pas.[55]

Mais en ramenant son assiette vers lui il s'aperçut que l'étranger lui avait justement servi la portion qu'il disait
5 vouloir garder pour lui.

—Eh bien! qu'est-ce qu'il me chante, alors, avec sa politesse? grogna Schaunard en lui-même.

—Si la tête est la plus noble partie de l'homme, dit l'étranger, c'est la plus désagréable du lapin. Aussi avons-
10 nous beaucoup de personnes qui ne peuvent pas la souffrir. Moi, c'est différent, je l'adore.

—Alors, dit Schaunard, je regrette vivement que vous vous soyez privé pour moi.

—Comment? . . . pardon, fit l'homme aux bouquins, c'est
15 moi qui ai gardé la tête. J'ai même eu l'honneur de vous faire observer que . . .

—Permettez, dit Schaunard en lui mettant son assiette sous le nez. Qu'est-ce que c'est que ce morceau-là?

—Juste ciel! Que vois-je! ô dieux! Encore une tête!
20 C'est un lapin bicéphale! s'écria l'étranger.

—Bicé . . . dit Schaunard.

— . . . phale. Ça vient du grec. Au fait, M. de Buffon, qui mettait des manchettes,[56] cite des exemples de cette singularité. Eh bien, ma foi! je ne suis pas fâché d'avoir
25 mangé du phénomène.

Grâce à cet incident, la conversation était définitivement engagée. Schaunard, qui ne voulait pas demeurer en reste de politesse, demanda un litre de supplément. L'homme aux bouquins en fit venir un autre. Schaunard offrit de la salade.
30 L'homme aux bouquins offrit du dessert. A huit heures du soir, il y avait six litres vides sur la table. En causant, la franchise, arrosée par les libations du petit bleu, les avait poussés l'un l'autre à se faire leur biographie, et ils se con-

naissaient déjà comme s'ils ne s'étaient jamais quittés. L'homme aux bouquins, après avoir écouté les confidences de Schaunard, lui avait appris qu'il s'appelait Gustave Colline; il exerçait la profession de philosophe, et vivait en donnant des leçons de mathématiques, de scolastique, de botanique et de plusieurs sciences en *ique*.

Le peu d'argent qu'il gagnait ainsi à courir le cachet, Colline le dépensait en achats de bouquins. Son paletot noisette était connu de tous les étalagistes du quai, depuis le pont de la Concorde jusqu'au pont Saint-Michel. Ce qu'il faisait de tous ces livres, si nombreux que la vie d'un homme n'aurait pas suffi pour les lire, personne ne le savait, et il le savait moins que personne. Mais ce tic avait pris chez lui les proportions d'une passion; et lorsqu'il rentrait chez lui le soir sans y rapporter un nouveau bouquin, il refaisait pour son usage le mot de Titus, et disait: « J'ai perdu ma journée.[57] » Ses manières câlines et son langage, qui offraient une mosaïque de tous les styles, les calembours terribles dont il émaillait sa conversation, avaient séduit Schaunard, qui demanda sur-le-champ à Colline la permission d'ajouter son nom à ceux qui composaient la fameuse liste dont nous avons parlé.

Ils sortirent de chez *la Mère Cadet* à neuf heures du soir, passablement gris tous les deux, et ayant la démarche de gens qui viennent de dialoguer avec les bouteilles.

Colline offrit le café à Schaunard, et celui-ci accepta à la condition qu'il se chargerait des alcools. Ils montèrent dans un café situé rue Saint-Germain-l'Auxerrois, et portant l'enseigne de *Momus*,[58] dieu des Jeux et des Ris.

Au moment où ils entraient dans l'estaminet, une discussion très vive venait de s'engager entre deux habitués de l'endroit. L'un d'eux était un jeune homme dont la figure se perdait au fond d'un énorme buisson de barbe multicolore.[59] Comme une antithèse à cette abondance de *poil mentonnier,* une calvitie précoce avait dégarni son front, qui ressemblait à un genou, et dont un groupe de cheveux si rares qu'on aurait pu les compter, essayait vainement de cacher la nudité. Il était vêtu d'un habit noir tonsuré aux coudes, et laissant voir, quand il levait le bras trop haut, des ventilateurs pratiqués à l'embouchure des manches. Son pantalon avait pu être noir, mais ses bottes, qui n'avaient jamais été neuves, paraissaient avoir déjà fait plusieurs fois le tour du monde aux pieds du Juif-Errant.[60]

Schaunard avait remarqué que son ami Colline et le jeune homme à grande barbe s'étaient salués.

—Vous connaissez ce Monsieur? demanda-t-il au philosophe.

—Pas absolument, répondit celui-ci; seulement je le rencontre quelque fois à la Bibliothèque.[61] Je crois que c'est un homme de lettres.

—Il en a l'habit, du moins, répliqua Schaunard.

Le personnage avec lequel discutait ce jeune homme était un individu d'une quarantaine d'années, voué au coup de foudre apoplectique, comme l'indiquait une grosse tête enfoncée immédiatement entre les deux épaules, sans la transition du cou. L'idiotisme se lisait en lettres majuscules sur son front déprimé, couvert d'une petite calotte noire. Il s'appelait M. Mouton, et était employé à la mairie du IVe arrondissement, où il tenait le registre des décès.

—Monsieur Rodolphe! s'écriait-il, en secouant le jeune homme qu'il avait empoigné par un bouton de son habit, voulez-vous que je vous dise mon opinion? Eh bien, tous les journaux, ça ne sert à rien. Tenez, une supposition: je suis un père de famille, moi, n'est-ce pas? . . . bon . . . Je viens faire ma partie de dominos au café. Suivez bien mon raisonnement.

—Allez, allez, dit Rodolphe.

—Eh bien, continua le père Mouton, en scandant chacune de ses phrases par un coup de poing qui faisait frémir les chopes et les verres placés sur la table. Eh bien, je tombe sur les journaux, bon . . . Qu'est-ce que je vois? L'un qui dit blanc, l'autre qui dit noir, et pata ti et pata ta. Qu'est-ce que ça me fait à moi? Je suis un bon père de famille qui vient pour faire . . .

—Sa partie de dominos, dit Rodolphe.

—Tous les soirs, continua M. Mouton. Eh bien, une supposition: Vous comprenez . . .

—Très bien! dit Rodolphe.

—Je lis un article qui n'est pas de mon opinion. Ça me met en colère, et je me mange les sangs, parce que, voyez-vous, monsieur Rodolphe, tous les journaux, c'est des menteries. Oui, des menteries! hurla-t-il dans son fausset le plus aigu, et les journalistes sont des brigands, des folliculaires.

—Cependant, monsieur Mouton . . .

—Oui, des brigands, continua l'employé. C'est eux qui sont cause des malheurs de tout le monde; ils ont fait la révolution et les assignats; à preuve Murat.[62]

—Pardon, dit Rodolphe, vous voulez dire Marat.

—Mais non, mais non, reprit M. Mouton; Murat, puisque j'ai vu son enterrement quand j'étais petit . . .

—Je vous assure . . .

—Même qu'on a fait une pièce au Cirque. . . . Là!

—Eh bien, précisément, dit Rodolphe; c'est Murat.

—Mais, qu'est-ce que je vous dis depuis une heure? s'écria l'obstiné Mouton. Murat, qui travaillait dans une cave, quoi! Eh bien, une supposition. Est-ce que les Bourbons n'ont pas bien fait de le guillotiner, puisqu'il avait trahi?

—Qui? guillotiné! trahi! quoi? s'écria Rodolphe en empoignant à son tour M. Mouton par le bouton de sa redingote.

—Eh bien, Marat.

—Mais non, mais non, monsieur Mouton, Murat. Entendons-nous, sacrebleu!

5 —Certainement. Marat, une canaille. Il a trahi l'empereur en 1815. C'est pourquoi je dis que tous les journaux sont les mêmes, continua M. Mouton en rentrant dans la thèse de ce qu'il appelait une explication. Savez-vous ce que je voudrais, moi, monsieur Rodolphe? Eh bien, une 10 supposition . . . Je voudrais un bon journal . . . Ah! Pas grand . . . Bon! et qui ne ferait pas de phrases . . . Là!

—Vous êtes exigeant, interrompit Rodolphe. Un journal sans phrases!

—Eh bien, oui; suivez mon idée.

15 —Je tâche.

—Un journal qui dirait tout simplement la santé du roi et les biens de la terre. Car, enfin, à quoi cela sert-il, toutes vos gazettes, qu'on n'y comprend rien? Une supposition: Moi, je suis à la mairie, n'est-ce pas? Je tiens mon registre, 20 bon! Eh bien, c'est comme si on venait me dire: « Monsieur Mouton, vous inscrivez les décès, eh bien, faites ci, faites ça. Eh bien, quoi! ça? quoi! ça? quoi! ça? Eh bien, les journaux, c'est la même chose, acheva-t-il pour conclure.

—Évidemment, dit un voisin qui avait compris.

25 Et M. Mouton ayant reçu les félicitations de quelques habitués qui partageaient son avis, alla reprendre sa partie de dominos.

—Je l'ai remis à sa place, dit-il en indiquant Rodolphe, qui était retourné s'asseoir à la même table où se trouvaient 30 Schaunard et Colline.

—Quelle buse! dit celui-ci aux deux jeunes gens en leur désignant l'employé.

—Il a une bonne tête, avec ses paupières en capote de cabriolet et ses yeux en boule de loto, fit Schaunard en tirant un brûle-gueule merveilleusement culotté.

—Parbleu! Monsieur, dit Rodolphe, vous avez là une bien jolie pipe.

—Oh! j'en ai une plus belle pour aller dans le monde, reprit négligemment Schaunard. Passez-moi donc du tabac, Colline.

—Tiens! s'écria le philosophe, je n'en ai plus.

—Permettez-moi de vous en offrir, dit Rodolphe en tirant de sa poche un paquet de tabac qu'il déposa sur la table. A cette gracieuseté, Colline crut devoir répondre par l'offre d'une tournée de quelque chose.

Rodolphe accepta. La conversation tomba sur la littérature. Rodolphe, interrogé sur sa profession déjà trahie par son habit, confessa ses rapports avec les Muses, et fit venir une seconde tournée. Comme le garçon allait remporter la bouteille, Schaunard le pria de vouloir bien l'oublier. Il avait entendu résonner dans l'une des poches de Colline le duo argentin de deux pièces de cinq francs. Rodolphe eut bientôt atteint le niveau d'expansion où se trouvaient les deux amis, et leur fit à son tour ses confidences.

Ils auraient sans doute passé la nuit au café, si on n'était venu [63] les prier de se retirer. Ils n'avaient point fait dix pas dans la rue, et ils avaient mis un quart d'heure pour les faire, qu'ils furent surpris par une pluie torrentielle. Colline et Rodolphe demeuraient aux deux extrémités opposées de Paris, l'un dans l'Ile-Saint-Louis, et l'autre à Montmartre.

—Schaunard, qui avait complétement oublié qu'il était sans domicile, leur offrit l'hospitalité.

—Venez chez moi, dit-il, je loge ici près; nous passerons la nuit à causer littérature et beaux-arts.

—Tu feras de la musique, et Rodolphe nous dira de ses vers, dit Colline.

—Ma foi, oui, ajouta Schaunard, il faut rire, nous n'avons qu'un temps à vivre.

5 Arrivé devant sa maison que Schaunard eut quelque difficulté à reconnaître, il s'assit un instant sur une borne en attendant Rodolphe et Colline qui étaient entrés chez un marchand de vin encore ouvert, pour y prendre les premiers éléments d'un souper. Quand ils furent de retour, Schaunard 10 frappa plusieurs fois à la porte, car il se souvenait vaguement que le portier avait l'habitude de le faire attendre. La porte s'ouvrit enfin, et le père Durand, plongé dans les douceurs du premier sommeil, et ne se rappelant pas que Schaunard n'était plus son locataire, ne se dérangea aucune- 15 ment quand celui-ci lui eut crié son nom par le vasistas.

Quand ils furent arrivés tous trois en haut de l'escalier, dont l'ascension avait été aussi longue que difficile, Schaunard qui marchait en avant jeta un cri d'étonnement en trouvant la clef sur la porte de sa chambre.

20 —Qu'est-ce qu'il y a? demanda Rodolphe.

—Je n'y comprends rien, murmura-t-il, je trouve sur ma porte la clef que j'avais emportée ce matin. Ah! nous allons bien voir. Je l'avais mise dans ma poche. Eh! parbleu! la voilà encore! s'écria-t-il en montrant la clef.

25 —C'est de la magie!

—De la fantasmagorie, dit Colline.

—De la fantaisie, ajouta Rodolphe.

—Mais, reprit Schaunard, dont la voix accusait un commencement de terreur, entendez-vous?

30 —Quoi?

—Quoi?

—Mon piano, qui joue tout seul, *ut, la mi ré do, la si sol, ré*. Gredin de *ré*, va! il sera toujours faux.

—Mais ce n'est pas chez vous, sans doute, lui dit Rodolphe, qui ajouta bas à l'oreille de Colline sur qui il appuya lourdement, il est gris.

—Je le crois. D'abord, ce n'est pas un piano, c'est une flûte. 5

—Mais, vous aussi, vous êtes gris, mon cher, répondit le poëte au philosophe, qui s'était assis sur le carré. C'est un violon.

—Un vio. . . . Peuh! Dis donc, Schaunard, bredouilla Colline en tirant son ami par les jambes, elle est bonne, celle-là![64] Voilà Monsieur qui prétend que c'est un vio . . . 10

—Sacrebleu! s'écria Schaunard au comble de l'épouvante, mon piano joue toujours; c'est de la magie!

—De la fantasma . . . gorie, hurla Colline en laissant tomber une des bouteilles qu'il tenait à la main. 15

—De la fantaisie, glapit à son tour Rodolphe.

Au milieu de ce charivari, la porte de la chambre s'ouvrit subitement, et l'on vit paraître sur le seuil un personnage qui tenait à la main un flambeau à trois branches où brûlait de la bougie rose. 20

—Que désirez-vous, Messieurs? demanda-t-il en saluant courtoisement les trois amis.

—Ah! ciel, qu'ai-je fait? je me suis trompé; ce n'est pas ici chez moi, fit Schaunard.

—Monsieur, ajoutèrent ensemble Colline et Rodolphe, en s'adressant au personnage qui était venu ouvrir, veuillez excuser mon ami; il est gris jusqu'à la troisième capucine.[65] 25

Tout à coup un éclair de lucidité traversa l'ivresse de Schaunard, il venait de lire sur sa porte cette ligne écrite avec du blanc d'Espagne: 30

« *Je suis venue trois fois pour chercher mes étrennes.*

» PHÉMIE. »

—Mais si,[66] mais si, au fait, je suis chez moi! s'écria-t-il; voilà bien la carte de visite que Phémie est venue me remettre au jour de l'an: c'est bien ma porte.

—Mon Dieu! Monsieur, dit Rodolphe, je suis vraiment 5 confus.

—Croyez, Monsieur, ajouta Colline, que de mon côté je collabore activement à la confusion de mon ami.

Le jeune homme ne pouvait s'empêcher de rire.

—Si vous voulez entrer chez moi un instant, répondit-il, 10 sans doute que [67] votre ami, dès qu'il aura vu les lieux, reconnaîtra son erreur.

—Volontiers.

—Et le poëte et le philosophe, prenant Schaunard chacun par un bras, l'introduisirent dans la chambre, ou plu- 15 tôt dans le palais de Marcel, qu'on aura sans doute reconnu.[68]

Schaunard promena vaguement sa vue autour de lui, en murmurant:

—C'est étonnant comme mon séjour est embelli.

20 —Eh bien! es-tu convaincu, maintenant? lui demanda Colline.

Mais Schaunard ayant aperçu le piano, s'en était approché et faisait des gammes.

—Hein, vous autres, écoutez-moi ça, dit-il en faisant 25 résonner les accords . . . A la bonne heure! L'animal a reconnu son maître: *si la sol, fa mi ré!* Ah! gredin de *ré!* tu seras toujours le même, va! Je disais bien que c'était mon instrument.

—Il insiste, dit Colline à Rodolphe.

30 —Il insiste, répéta Rodolphe à Marcel.

—Et ça, continua Schaunard en détachant du mur le congé par huissier dont il a été parlé plus haut.

Et il se mit à lire:

—« En conséquence, M. Schaunard sera tenu de vider les lieux et de les rendre en bon état de réparations locatives, le huit avril avant midi. Et je lui ai signifié le présent acte, dont le coût est de cinq francs.» Ah! ah! ce n'est donc pas moi qui suis M. Schaunard, à qui on donne congé 5 par huissier, les honneurs du timbre, dont le coût est de cinq francs? Et ça encore, continua-t-il en reconnaissant ses pantoufles dans les pieds de Marcel, ce ne sont donc pas mes babouches, présent d'une main chère? A votre tour, Monsieur, dit-il à Marcel, expliquez votre présence dans 10 mes lares.

—Messieurs, répondit Marcel en s'adressant particulièrement à Colline et à Rodolphe, Monsieur, et il désignait Schaunard, Monsieur est chez lui, je le confesse.

—Ah! exclama Schaunard, c'est heureux. 15

—Mais, continua Marcel, moi aussi, je suis chez moi.

—Cependant, Monsieur, interrompit Rodolphe, si notre ami reconnaît . . .

—Oui, continua Colline, si notre ami . . .

—Et si de votre côté vous vous souvenez que . . . , ajouta 20 Rodolphe, comment se fait-il . . .

—Oui, reprit Colline, écho, comment il se fait! . . .

—Veuillez vous asseoir, Messieurs, répliqua Marcel, je vais expliquer le mystère.

—Si nous arrosions l'explication? hasarda Colline. 25

—En cassant une croûte, ajouta Rodolphe.

Les quatre jeunes gens se mirent à table et donnèrent l'assaut à un morceau de veau froid que leur avait cédé le marchand de vin.

Marcel expliqua alors ce qui s'était passé le matin entre 30 lui et le propriétaire, quand il était venu pour emménager.

—Alors, dit Rodolphe, Monsieur a parfaitement raison, nous sommes chez lui.

—Vous êtes chez vous, dit poliment Marcel.

Mais il fallut un travail énorme pour faire comprendre à Schaunard ce qui s'était passé. Un incident comique vint encore compliquer la situation. Schaunard, en cherchant
5 quelque chose dans un buffet, y découvrit la monnaie du billet de cinq cents francs que Marcel avait changé le matin à M. Bernard.

—Ah, j'en étais bien sûr! s'écria-t-il, que le hasard ne m'abandonnerait pas. Je me rappelle maintenant . . . que
10 j'étais sorti ce matin pour courir après lui.[69] A cause du terme, c'est vrai, il sera venu pendant mon absence. Nous nous sommes croisés, voilà tout. Comme j'ai bien fait de laisser la clef sur mon tiroir!

—Douce folie! murmura Rodolphe en voyant Schaunard
15 qui dressait les espèces en piles égales.

—Songe, mensonge, telle est la vie, ajouta le philosophe.

Marcel riait.

Une heure après, ils étaient endormis tous les quatre.

Le lendemain, à midi, ils se réveillèrent et parurent d'abord
20 très étonnés de se trouver ensemble: Schaunard, Colline et Rodolphe n'avaient pas l'air de se reconnaître et s'appelaient Monsieur. Il fallut que Marcel leur rappelât qu'ils étaient venus ensemble la veille.

En ce moment, le père Durand entra dans la chambre.

25 —Monsieur, dit-il à Marcel, c'est aujourd'hui le neuf avril[70] mil huit cent quarante . . . , il y a de la boue dans les rues, et S. M. Louis-Philippe est toujours roi de France et de Navarre.[71] Tiens! s'écria le père Durand en apercevant son ancien locataire, monsieur Schaunard! Par où
30 donc êtes-vous venu?

—Par le télégraphe, répondit Schaunard.

—Mais dites donc, reprit le portier, vous êtes encore un farceur, vous! . . .

—Durand, dit Marcel, je n'aime pas que la livrée se mêle à ma conversation; vous irez chez le restaurant voisin, et vous ferez monter à déjeuner pour quatre personnes. Voici la carte, ajouta-t-il en donnant un bout de papier sur lequel il avait indiqué son menu. Sortez. 5

—Messieurs, reprit Marcel aux trois jeunes gens, vous m'avez offert à souper hier soir, permettez-moi de vous offrir à déjeuner ce matin, non pas chez moi, mais chez vous, ajouta-t-il en tendant la main à Schaunard.

A la fin du déjeuner, Rodolphe demanda la parole. 10

—Messieurs, dit-il, permettez-moi de vous quitter . . .

—Oh! non, dit sentimentalement Schaunard, ne nous quittons jamais.

—C'est vrai, on est très bien ici, ajouta Colline.

—De vous quitter un moment, continua Rodolphe; c'est 15 demain que paraît l'*Écharpe d'Iris*,[72] un journal de modes dont je suis le rédacteur en chef; et il faut que j'aille corriger mes épreuves, je reviens dans une heure.

—Diable! dit Colline, ça me fait penser que j'ai une leçon à donner à un prince indien qui est venu à Paris pour 20 apprendre l'arabe.

—Vous irez demain, dit Marcel.

—Oh non! répondit le philosophe, le prince doit me payer aujourd'hui. Et puis, je vous avouerai que cette belle journée serait gâtée pour moi, si je n'allais pas faire un 25 petit tour à la halle aux bouquins.

—Mais tu reviendras? demanda Schaunard.

—Avec la rapidité d'une flèche lancée d'une main sûre, répondit le philosophe, qui aimait les images excentriques.

Et il sortit avec Rodolphe. 30

—Au fait, dit Schaunard, resté seul avec Marcel, au lieu de me dorloter sur l'oreiller du *far niente*,[73] si j'allais chercher quelque or pour apaiser la cupidité de M. Bernard?

—Mais, dit Marcel avec inquiétude, vous comptez donc toujours déménager?

—Dame! reprit Schaunard, il le faut bien, puisque j'ai congé par huissier, coût cinq francs.

5 —Mais, continua Marcel, si vous déménagez, est-ce que vous emporterez vos meubles?

—J'en ai la prétention; je ne laisserai pas un cheveu, comme dit M. Bernard.

—Diable! ça va me gêner, fit Marcel, moi qui ai loué 10 votre chambre en garni.

—Tiens, c'est vrai, au fait, reprit Schaunard. Ah bah! ajouta-t-il avec mélancolie, rien ne prouve que je trouverai mes soixante-quinze francs aujourd'hui, ni demain, ni après.

—Mais attendez donc, s'cria Marcel, j'ai une idée.

15 —Exhibez, dit Schaunard.

—Voici la situation: légalement, ce logement est à moi, puisque j'ai payé un mois d'avance.

—Le logement, oui; mais les meubles, si je paye, je les enlève légalement; et, si cela était possible, je les enlève-20 rais même extralégalement, dit Schaunard.

—De façon, continua Marcel, que vous avez des meubles et pas de logement, et que moi j'ai un logement et pas de meubles.

—Voilà, fit Schaunard.

25 —Moi, ce logement me plaît, reprit Marcel.

—Et moi, donc, ajouta Schaunard, il ne m'a jamais plus plu.[74]

—Vous dites?

—Plus plu pour davantage. Oh! je connais ma langue.

30 —Eh bien, nous pouvons arranger ces affaires-là, reprit Marcel; restez avec moi, je fournirai le logement, vous fournirez les meubles.

—Et les termes? dit Schaunard.

—Puisque j'ai de l'argent aujourd'hui, je les payerai; la prochaine fois ce sera votre tour. Réfléchissez.

—Je ne réfléchis jamais, surtout pour accepter une proposition qui m'est agréable; j'accepte d'emblée: au fait, la peinture et la musique sont sœurs. 5

—Belles-sœurs, dit Marcel.

En ce moment rentrèrent Colline et Rodolphe, qui s'étaient rencontrés.

Marcel et Schaunard leur firent part de leur association.

—Messieurs, s'écria Rodolphe en faisant sonner son gousset, j'offre à dîner à la compagnie. 10

—C'est précisément ce que j'allais avoir l'honneur de proposer, fit Colline en tirant de sa poche une pièce d'or qu'il se fourra dans l'œil. Mon prince m'a donné ça pour acheter une grammaire indoustan-arabe, que je viens de payer six sous comptant. 15

—Et moi, dit Rodolphe, je me suis fait avancer trente francs par le caissier de l'*Écharpe d'Iris,* sous le prétexte que j'en avais besoin pour me faire vacciner.

—C'est donc le jour des recettes? dit Schaunard; il n'y a que moi qui n'ai pas étrenné, c'est humiliant. 20

—En attendant, reprit Rodolphe, je maintiens mon offre du dîner.

—Et moi aussi, dit Colline.

—Eh bien, dit Rodolphe, nous allons tirer à pile ou face quel sera celui qui payera la carte. 25

—Non, s'écria Schaunard, j'ai mieux que ça, mais infiniment mieux à vous offrir pour vous tirer d'embarras.

—Voyons!

—Rodolphe payera le dîner, et Colline offrira un souper. 30

—Voilà ce que j'appellerai de la jurisprudence Salomon, s'écria le philosophe.

—C'est pis que les noces de Gamache,[75] ajouta Marcel.

Le dîner eut lieu dans un restaurant provençal de la rue Dauphine, célèbre par ses garçons littéraires et son *ayoli.* Comme il fallait faire de la place pour le souper, on but et on mangea modérément. La connaissance ébauchée la veille 5 entre Colline et Schaunard, et plus tard avec Marcel, devint plus intime; chacun des quatre jeunes gens arbora le drapeau de son opinion dans l'art; tous quatre reconnurent qu'ils avaient courage égal et même espérance. En causant et en discutant, ils s'aperçurent que leurs sympathies étaient com- 10 munes, qu'ils avaient tous dans l'esprit la même habileté d'escrime comique, qui égaye sans blesser, et que toutes les belles vertus de la jeunesse n'avaient point laissé de place vide dans leur cœur, facile à mettre en émoi par la vue ou le récit d'une belle chose. Tous quatre, partis du même 15 point pour aller au même but, ils pensèrent qu'il y avait dans leur réunion autre chose que le quiproquo banal du hasard, et que ce pouvait bien être aussi la Providence, tutrice naturelle des abandonnés, qui leur mettait ainsi la main dans la main, et leur soufflait tout bas à l'oreille l'évan- 20 gélique parabole qui devrait être l'unique charte de l'humanité: « Soutenez-vous, et aimez-vous les uns les autres.»

A la fin du repas, qui se termina par une espèce de gravité, Rodolphe se leva pour porter un toast à l'avenir, et Colline lui répondit par un petit discours qui n'était tiré 25 d'aucun bouquin, n'appartenait par aucun point au beau style, et parlait tout simplement le bon patois de la naïveté qui fait si bien comprendre ce qu'il dit si mal.

—Est-il bête ce philosophe! murmura Schaunard, qui avait le nez dans son verre, voilà qu'il me force à mettre 30 de l'eau dans mon vin.

Après le dîner on alla prendre le café à *Momus,* où on avait déjà passé la soirée la veille. Ce fut à compter de ce jour-là que l'établissement devint inhabitable pour les autres habitués.

Après le café et les liqueurs, le clan bohème, définitivement fondé, retourna au logement de Marcel, qui prit le nom d'*Élysée* Schaunard. Pendant que Colline allait commander le souper qu'il avait promis, les autres se procuraient des pétards, des fusées et d'autres pièces pyrotechniques; et, avant de se mettre à table, on tira par les fenêtres un superbe feu d'artifice qui mit toute la maison sens dessus dessous, et pendant lequel les quatre amis chantaient à tue-tête:

Célébrons, célébrons, célébrons ce beau jour!

Le lendemain matin, ils se retrouvèrent ensemble de nouveau, mais sans en paraître étonnés, cette fois. Avant de retourner chacun à leur affaire, ils allèrent de compagnie déjeuner frugalement au café *Momus*, où ils se donnèrent rendez-vous pour le soir, et où on les vit pendant longtemps revenir assidûment tous les jours.

Tels sont les principaux personnages qu'on verra reparaître dans les petites histoires dont se compose ce volume, qui n'est pas un roman, et n'a d'autre prétention que celle indiquée par son titre; car les Scènes de la Vie de Bohème ne sont en effet que des études de mœurs dont les héros appartiennent à une classe mal jugée jusqu'ici, et dont le plus grand défaut est le désordre; et encore peuvent-ils donner pour excuse que ce désordre même est une nécessité que leur fait la vie.

II

UN ENVOYÉ DE LA PROVIDENCE

SCHAUNARD et Marcel, qui s'étaient vaillamment mis à la besogne dès le matin, suspendirent tout à coup leur travail.

—Sacrebleu! qu'il fait faim [1] ! dit Schaunard; et il ajouta négligemment: Est-ce qu'on ne déjeune pas aujourd'hui?

5 Marcel parut très étonné de cette question, plus que jamais inopportune.

—Depuis quand déjeune-t-on deux jours de suite? dit-il. C'était hier jeudi.

Et il compléta sa réponse en désignant de son appui-main

10 ce commandement de l'Église:

« Vendredi chair ne mangeras,
» Ni autre chose pareillement.» [2]

15 Schaunard ne trouva rien à répondre et se mit à son tableau, lequel représentait une plaine habitée par un arbre rouge et un arbre bleu qui se donnent une poignée de branches. Allusion transparente aux douceurs de l'amitié, et qui ne laissait pas en effet que d'être très philosophique.

20 En ce moment, le portier frappa à la porte. Il apportait une lettre pour Marcel.

—C'est trois sous,[3] dit-il.

—Vous êtes sûr? répliqua l'artiste. C'est bon, vous nous les devrez.

25 Et il lui ferma la porte au nez.

Marcel avait pris la lettre et rompu le cachet. Aux premiers mots, il se mit à faire dans l'atelier des sauts d'acrobate et entonna à tue-tête la célèbre romance suivante, qui indiquait chez lui l'apogée de la jubilation:

> Y' avait quat' jeunes gens du quartier,
> Ils étaient tous les quatre malades;
> On les a m'nés à l'Hôtel-Dieu
> Eu! eu! eu! eu![4]

—Eh bien, oui, dit Schaunard en continuant:

> On les a mis dans un grand lit,
> Deux à la tête et deux au pied.

—Nous savons ça:

Marcel reprit:

> Ils virent arriver un' petit' sœur,
> Eur! eur! eur! eur!

—Si tu ne te tais pas, dit Schaunard, qui ressentait déjà des symptômes d'aliénation mentale, je vais t'exécuter l'allégro de ma symphonie sur *l'influence du bleu dans les arts*.

Et il s'approcha de son piano.

Cette menace produisit l'effet d'une goutte d'eau froide tombée dans un liquide en ébullition.

Marcel se calma comme par enchantement.

—Tiens! dit-il en passant la lettre à son ami. Vois.

C'était une invitation à dîner d'un député, protecteur éclairé des arts et en particulier de Marcel, qui avait fait le portrait de sa maison de campagne.

—C'est pour aujourd'hui, dit Schaunard; il est malheureux que le billet ne soit pas bon pour deux personnes.

Mais au fait, j'y songe, ton député est ministériel[5]; tu ne peux pas, tu ne dois pas accepter: tes principes te défendent d'aller manger un pain trempé dans les sueurs du peuple.

5 —Bah! dit Marcel, mon député est centre gauche;[6] il a voté l'autre jour contre le gouvernement. D'ailleurs, il doit me faire avoir une commande, et il m'a promis de me présenter dans le monde; et puis, vois-tu, ça a beau être vendredi, je me sens pris d'une voracité Ugoline,[7] et 10 je veux dîner aujourd'hui, voilà.

—Il y a encore d'autres obstacles, reprit Schaunard, qui ne laissait pas que d'être un peu jaloux de la bonne fortune qui tombait à son ami. Tu ne peux pas aller dîner en ville en vareuse rouge et avec un bonnet de débardeur.

15 —J'irai emprunter les habits de Rodolphe ou de Colline.

—Jeune insensé! oublies-tu que nous sommes passé le vingt du mois, et qu'à cette époque les habits de ces Messieurs sont *cloués* et *surcloués?*

—Je trouverai au moins un habit noir d'ici à cinq heures, 20 dit Marcel.

—J'ai mis trois semaines pour en trouver un quand j'ai été à la noce de mon cousin; et c'était au commencement de janvier.

—Eh bien, j'irai comme ça, reprit Marcel en marchant 25 à grands pas. Il ne sera pas dit qu'une misérable question d'étiquette m'empêchera de faire mon premier pas dans le monde.

—A propos de ça, interrompit Schaunard, prenant beaucoup de plaisir à faire du chagrin à son ami, et des bottes?

30 Marcel sortit dans un état d'agitation impossible à décrire. Au bout de deux heures il rentrait chargé d'un faux col.

—Voilà tout ce que j'ai pu trouver, dit-il piteusement.

—Ce n'était pas la peine de courir pour si peu, répondit

Schaunard, il y a ici du papier de quoi en faire une douzaine.

—Mais, dit Marcel en s'arrachant les cheveux, nous devons avoir des effets, que diable!

Et il commença une longue perquisition dans tous les coins des deux chambres.

Après une heure de recherche, il réalisa un costume ainsi composé:

Un pantalon écossais,
Un chapeau gris,
Une cravate rouge,
Un gant jadis blanc,
Un gant noir.

—Ça te fera deux gants noirs au besoin, dit Schaunard. Mais quand tu seras habillé, tu auras l'air du spectre solaire. Après ça, quand on est coloriste!

Pendant ce temps Marcel essayait les bottes.

Fatalité! Elles étaient toutes deux du même pied!

L'artiste, désespéré, avisa alors dans un coin une vieille botte dans laquelle on mettait les vessies usées. Il s'en empara.

—De *Garrick* en *Syllabe,*[8] dit son ironique compagnon: celle-ci est pointue et l'autre est carrée.

—Ça ne se verra pas, je les vernirai.

—C'est une idée! il ne te manque plus que l'habit noir de rigueur.

—Oh! dit Marcel en se mordant les poings, pour en avoir un, je donnerais dix ans de ma vie et ma main droite, vois-tu!

Ils entendirent de nouveau frapper à la porte. Marcel ouvrit.

—Monsieur Schaunard? dit un étranger en restant sur le seuil.

—C'est moi, répondit le peintre en le priant d'entrer.

—Monsieur, dit l'inconnu, porteur d'une de ces honnêtes figures qui sont le type du provincial, mon cousin m'a beaucoup parlé de votre talent pour le portrait; et étant sur le point de faire un voyage aux colonies, où je suis délégué 5 par les raffineurs de la ville de Nantes, je désirerais laisser un souvenir de moi à ma famille. C'est pourquoi je suis venu vous trouver.

—O sainte Providence! . . . murmura Schaunard. Marcel, donne un siége à Monsieur . . . ,

10 —M. Blancheron, reprit l'étranger; Blancheron de Nantes, délégué de l'industrie sucrière, ancien maire de V . . . , capitaine de la garde nationale, et auteur d'une brochure sur la question des sucres.

—Je suis fort honoré d'avoir été choisi par vous, dit 15 l'artiste en s'inclinant devant le délégué des raffineurs. Comment désirez-vous avoir votre portrait?

—A la miniature, comme ça, reprit M. Blancheron en indiquant un portrait à l'huile; car, pour le délégué comme pour beaucoup d'autres, ce qui n'est pas peinture en bâti- 20 ments est miniature, il n'y a pas de milieu.

Cette naïveté donna à Schaunard la mesure du bonhomme auquel il avait affaire, surtout quand celui-ci eut ajouté qu'il désirait que son portrait fût peint avec des couleurs fines.

25 —Je n'en emploie jamais d'autres, dit Schaunard. De quelle grandeur Monsieur désire-t-il son portrait?

—Grand comme ça, répondit M. Blancheron en montrant une toile de vingt. Mais dans quel prix ça va-t-il?

—De cinquante à soixante francs; cinquante sans les 30 mains, soixante avec.

—Diable, mon cousin m'avait parlé de trente francs.

—C'est selon la saison, dit le peintre; les couleurs sont beaucoup plus chères à différentes époques.

—Tiens, c'est donc comme le sucre?

—Absolument.

—Va donc pour cinquante francs, dit M. Blancheron.

—Vous avez tort, pour dix francs de plus vous auriez les mains dans lesquelles je placerais votre brochure sur la question sucrière, ce qui serait flatteur.

—Ma foi, vous avez raison.

—Sacrebleu! dit en lui-même Schaunard, s'il continue, il va me faire éclater, et je le blesserai avec un de mes morceaux.

—As-tu remarqué? lui glissa Marcel à l'oreille.

—Quoi?

—Il a un habit noir.

—Je comprends et je coupe dans tes idées. Laisse-moi faire.

—Eh bien! Monsieur, dit le délégué, quand commencerons-nous? Il ne faudrait pas tarder, car je pars prochainement.

—J'ai moi-même un petit voyage à faire; après-demain je quitte Paris. Donc, si vous le voulez, nous allons commencer tout de suite. Une bonne séance avancera la besogne.

—Mais il va bientôt faire nuit, et on ne peut pas peindre aux lumières, dit M. Blancheron.

—Mon atelier est disposé pour qu'on y puisse travailler à toute heure . . . reprit le peintre. Si vous voulez ôter votre habit et prendre la pose, nous allons commencer.

—Ôter mon habit! Pourquoi faire?

—Ne m'avez-vous pas dit que vous destiniez votre portrait à votre famille?

—Sans doute.

—Eh bien, alors, vous devez être représenté dans votre

costume d'intérieur, en robe de chambre. C'est l'usage d'ailleurs.

—Mais je n'ai pas de robe de chambre ici.

—Mais j'en ai, moi. Le cas est prévu, dit Schaunard en présentant à son modèle un haillon historié de taches de peinture et qui fit tout d'abord hésiter l'honnête provincial.

—Ce vêtement est bien singulier, dit-il.

—Et bien précieux, répondit le peintre. C'est un vizir turc qui en a fait présent à M. Horace Vernet,[9] qui me l'a donné à moi. Je suis son élève.

—Vous êtes élève de Vernet? dit Blancheron.

—Oui, Monsieur, je m'en vante. Horreur, murmura-t-il en lui-même, je renie mes dieux.

—Il y a de quoi, jeune homme, reprit le délégué en endossant la robe de chambre qui avait une si noble origine.

—Accroche l'habit de Monsieur au porte-manteau, dit Schaunard à son ami avec un clignement d'yeux significatif.

—Dis donc, murmura Marcel en se jetant sur sa proie et en désignant le Blancheron,[10] il est bien bon! si tu pouvais en [11] garder un morceau?

—Je tâcherai! mais ce n'est pas ça, habille-toi vite et file. Sois de retour à dix heures, je le garderai jusque-là. Surtout rapporte-moi quelque chose dans tes poches.

—Je t'apporterai un ananas, dit Marcel en se sauvant. Il s'habilla à la hâte. L'habit lui allait comme un gant, puis il sortit par la seconde porte de l'atelier.

Schaunard s'était mis à la besogne. Comme la nuit était tout à fait venue, M. Blancheron entendit sonner six heures et se souvint qu'il n'avait pas dîné. Il en fit la remarque au peintre.

—Je suis dans le même cas; mais, pour vous obliger, je m'en passerai ce soir. Pourtant j'étais invité dans une maison du faubourg Saint-Germain, dit Schaunard. Mais nous ne pouvons pas nous déranger, ça compromettrait la ressemblance.

Il se mit à lœuvre.

—Aprés ça, dit-il tout à coup, nous pouvons dîner sans nous déranger. Il y a en bas un excellent restaurant qui nous montera ce que nous voudrons. 5

Et Schaunard attendit l'effet de son trio de pluriels.

—Je partage votre idée, dit M. Blancheron, et en revanche j'aime à croire que vous me ferez l'honneur de me tenir compagnie à table. 10

Schaunard s'inclina.

—Allons, se dit-il à lui-même, c'est un brave homme, un véritable envoyé de la Providence. Voulez-vous faire la carte? demanda-t-il à son amphitryon.

—Vous m'obligerez de vous charger de ce soin, répondit poliment celui-ci. 15

—Tu t'en repentiras, Nicolas,[12] chanta le peintre en descendant les escaliers quatre à quatre.

Il entra chez le restaurateur, se mit au comptoir et rédigea un menu dont la lecture fit pâlir le Vatel [13] en boutique. 20

—Du bordeaux à l'ordinaire.

—Qu'est-ce qui payera? [14]

—Pas moi probablement, dit Schaunard, mais un mien oncle que vous verrez là-haut, un fin gourmet. Ainsi, tâchez de vous distinguer, et que nous soyons servis dans une demi-heure, et dans de la porcelaine surtout. 25

. . . .

A huit heures, M. Blancheron sentait déjà le besoin d'épancher dans le sein d'un ami ses idées sur l'industrie sucrière, et il récita à Schaunard la brochure qu'il avait écrite. 30

Celui-ci l'accompagna sur le piano.

A dix heures, M. Blancheron et son ami dansaient le galop et se tutoyaient. A onze heures, ils jurèrent de ne jamais se quitter et firent chacun un testament où ils se léguaient réciproquement leur fortune.

A minuit, Marcel rentra et les trouva dans les bras l'un de l'autre; ils fondaient en pleurs. Et il y avait déjà un 5 demi-pouce d'eau dans l'atelier. Marcel se heurta à la table et vit les splendides débris du superbe festin. Il regarda les bouteilles; elles étaient parfaitement vides.

Il voulut réveiller Schaunard, mais celui-ci le menaça de le tuer s'il voulait lui ravir M. Blancheron, dont il se 10 faisait un oreiller.

—Ingrat! dit Marcel, en tirant de la poche de son habit une poignée de noisettes. Moi qui lui apportais à dîner.

III

ALI-RODOLPHE, OU LE TURC PAR NÉCESSITÉ

FRAPPÉ d'ostracisme par un propriétaire inhospitalier, Rodolphe vivait depuis quelque temps plus errant que les nuages, et perfectionnait de son mieux l'art de se coucher sans souper, ou de souper sans se coucher; son cuisinier s'appelait le Hasard, et il logeait fréquemment à l'auberge 5 de la Belle-Étoile.

Il y avait pourtant deux choses qui n'abandonnaient point Rodolphe au milieu de ces pénibles traverses, c'était sa bonne humeur et le manuscrit du *Vengeur*,[1] drame qui avait fait des stations dans tous les lieux dramatiques de Paris. 10

Un jour, Rodolphe, conduit au *violon* pour cause de chorégraphie trop macabre, se trouva nez à nez avec un oncle à lui,[2] le sieur Monetti, poêlier-fumiste, sergent de la garde nationale, et que Rodolphe n'avait pas vu depuis une éternité.

Touché des malheurs de son neveu, l'oncle Monetti pro- 15 mit d'améliorer sa position, et nous allons voir comme, si le lecteur ne s'effraye pas d'une ascension de six étages.

Donc prenons la rampe et montons. Ouf! cent vingt-cinq marches. Nous voici arrivés. Un pas de plus nous sommes dans la chambre, un autre nous n'y serions plus. C'est 20 petit, mais c'est haut; au reste, bon air et belle vue.

Le mobilier se compose de plusieurs cheminées à la prussienne, de deux poêles, de fourneaux économiques, quand on n'y fait pas de feu surtout, d'une douzaine de tuyaux en terre rouge ou en tôle, et d'une foule d'appareils de chauf- 25 fage; citons encore, pour clore l'inventaire, un hamac suspendu à deux clous fichés dans la muraille, une chaise de jardin amputée d'une jambe, un chandelier orné de sa bobèche, et divers autres objets d'art et de fantaisie.

5 Quant à la seconde pièce, le balcon, deux cyprès nains, mis en pots, la transforment en parc pour la belle saison.

Au moment où nous entrons, l'hôte du lieu, jeune homme habillé en Turc d'opéra comique, achève un repas dans lequel il viole effrontément la loi du prophète, ainsi que l'in-10 dique la présence d'un ex-jambonneau et d'une bouteille ci-devant pleine de vin. Son repas terminé, le jeune Turc s'étendit à l'orientale sur le carreau, et se mit à fumer nonchalamment un narguillé marqué J. G.[3] Tout en s'abandonnant à la béatitude asiatique, il passait de temps en temps 15 sa main sur le dos d'un magnifique chien de Terre-Neuve, qui aurait sans doute répondu à ses caresses s'il n'eût été en terre cuite.

Tout à coup un bruit de pas se fit entendre dans le corridor, et la porte de la chambre s'ouvrit, donnant entrée à 20 un personnage qui, sans mot dire, alla droit à un des poêles servant de secrétaire, ouvrit la porte du four et en tira un rouleau de papiers qu'il considéra avec attention.

—Comment, s'écria le nouveau venu avec un fort accent piémontais,[4] tu n'as pas achevé encore le chapitre des 25 Ventouses?

—Permettez, mon oncle, répondit le Turc, le chapitre des Ventouses est un des plus intéressants de votre ouvrage, et demande à être étudié avec soin. Je l'étudie.

—Mais, malheureux, tu me dis toujours la même chose. 30 Et mon chapitre des Calorifères, où en est-il?

—Le calorifère va bien. Mais, à propos, mon oncle, si vous pouviez me donner un peu de bois, cela ne me ferait pas de peine. C'est une petite Sibérie ici. J'ai tellement froid, que je ferais tomber le thermomètre au-dessous de zéro, rien qu'en le regardant.

—Comment, tu as déjà consumé un fagot?

—Permettez, mon oncle, il y a fagots et fagots, et le vôtre était bien petit.

—Je t'enverrai une bûche économique. Ça garde la chaleur.

—C'est précisément pourquoi ça n'en donne pas.

—Eh bien! dit le Piémontais en se retirant, je te ferai monter un petit cotret. Mais je veux mon chapitre des Calorifères pour demain.

—Quand j'aurai du feu, ça m'inspirera, dit le Turc qu'on venait de renfermer à double tour.

Si nous faisions une tragédie, ce serait le moment de faire apparaître le confident. Il s'appellerait Noureddin ou Osman, et d'un air à la fois discret et protecteur, il s'avancerait auprès de notre héros, et lui tirerait adroitement les vers du nez à l'aide de ceux-ci:

> Quel funeste chagrin vous occupe, seigneur?
> À votre auguste front, pourquoi cette pâleur?
> Allah se montre-t-il à vos desseins contraire?
> Ou le farouche Ali, par un ordre sévère,
> A-t-il sur d'autres bords, en apprenant vos vœux,
> Éloigné la beauté qui sut charmer vos yeux?

Mais nous ne faisons pas de tragédie, et malgré le besoin que nous avons d'un confident, il faut nous en passer.

Notre héros n'est point ce qu'il paraît être, le turban ne fait pas le Turc. Ce jeune homme est notre ami Rodolphe recueilli par son oncle, pour lequel il rédige actuellement un manuel du *Parfait Fumiste*. En effet, M. Monetti, passionné pour son art, avait consacré ses jours à la fumisterie. Ce digne Piémontais avait arrangé pour son usage une maxime faisant à peu près pendant à celle de Cicéron, et dans ses beaux moments d'enthousiasme, il s'écriait: *Nascuntur poê . . . liers.*[5] Un jour, pour l'utilité des races futures, il avait songé à formuler un code théorique des principes d'un art dans la pratique duquel il excellait, et il avait, comme nous l'avons vu, choisi son neveu pour encadrer le fond de ses idées dans la forme qui pût les faire comprendre. Rodolphe était nourri, couché, logé, etc. . . . et devait, à l'achèvement du *Manuel*, recevoir une gratification de cent écus.

Dans les premiers jours, pour encourager son neveu au travail, Monetti lui avait généreusement fait une avance de cinquante francs. Mais Rodolphe, qui n'avait point *vu* une pareille somme depuis près d'un an, était sorti à moitié fou, accompagné de ses écus, et il resta trois jours dehors: le quatrième il rentrait, seul!

Monetti, qui avait hâte de voir achever son *Manuel,* car il comptait obtenir un brevet, craignait de nouvelles escapades de son neveu; et pour le forcer à travailler, en l'empêchant de sortir, il lui enleva ses vêtements et lui laissa en place le déguisement sous lequel nous l'avons vu tout à l'heure.

Cependant, le fameux *Manuel* n'en allait pas moins *piano, piano,*[6] Rodolphe manquant absolument des cordes nécessaires à ce genre de littérature. L'oncle se vengeait de cette indifférence paresseuse en matière de cheminées, en faisant subir à son neveu une foule de misères. Tantôt il lui abrégeait ses repas, et souvent il le privait de tabac à fumer.

Un dimanche, après avoir péniblement sué sang et encre sur le fameux chapitre des Ventouses, Rodolphe brisa sa plume qui lui brûlait les doigts, et s'en alla se promener dans son parc.[7]

Comme pour le narguer et exciter encore son envie, il ne pouvait hasarder un seul regard autour de lui sans apercevoir à toutes les fenêtres une figure de fumeur.

Au balcon doré d'une maison neuve, un lion en robe de chambre mâchait entre ses dents le panatellas aristocratique. 5 Un étage au-dessus, un artiste chassait devant lui le brouillard odorant d'un tabac levantin qui brûlait dans une pipe bouquin d'ambre. A la fenêtre d'un estaminet, un gros Allemand faisait mousser la bière et repoussait avec une précision mécanique les nuages opaques s'échappant d'une 10 pipe de Cudmer.[8] D'un autre côté, des groupes d'ouvriers se rendant aux barrières passaient en chantant, le *brûle-gueule* aux dents. Enfin, tous les autres piétons qui emplissaient la rue fumaient.

—Hélas! reprit Rodolphe avec envie, excepté moi et 15 les cheminées de mon oncle, tout le monde fume à cette heure dans la création.

Et Rodolphe, le front appuyé sur la barre du balcon, songea combien la vie était amère.

Tout à coup un éclat de rire sonore et prolongé se fit en- 20 tendre au-dessous de lui. Rodolphe se pencha un peu en avant pour voir d'où sortait cette fusée de folle joie, et il *s'aperçut* qu'il avait été aperçu par la locataire occupant l'étage inférieur: mademoiselle Sidonie, jeune première du théâtre du Luxembourg. 25

Mademoiselle Sidonie s'avança sur sa terrasse en roulant entre ses doigts, avec une habileté castillane, un petit papier gonflé d'un tabac blond qu'elle tirait d'un sac en velours brodé.

—Oh! la belle tabatière, murmura Rodolphe avec une 30 adoration contemplative.

—Quel est cet *Ali-Baba?*[9] pensait de son côté mademoiselle Sidonie.

Et elle rumina tout bas un prétexte pour engager la conversation avec Rodolphe, qui, de son côté, cherchait à en faire autant.

—Ah! mon Dieu! s'écria mademoiselle Sidonie, comme si elle se parlait à elle-même; Dieu! que c'est ennuyeux! Je n'ai pas d'allumettes.

—Mademoiselle, voulez-vous me permettre de vous en offrir! dit Rodolphe en laissant tomber sur le balcon deux ou trois allumettes chimiques roulées dans du papier.

—Mille remerciements, répondit Sidonie en allumant sa cigarette.

—Mon Dieu, mademoiselle . . . continua Rodolphe, en échange du léger service que *mon bon ange* m'a permis de vous rendre, oserai-je vous demander? . . .

—Comment! il demande déjà! pensa Sidonie en regardant Rodolphe avec plus d'attention. Ah! dit-elle, ces Turcs! on les dit volages, mais bien agréables. Parlez, monsieur, fit-elle ensuite en relevant la tête vers Rodolphe: que désirez-vous?

—Mon Dieu, mademoiselle, je vous demanderai la charité d'un peu de tabac; il y a deux jours que je n'ai fumé.[10] Une pipe seulement . . .

—Avec plaisir, monsieur . . . Mais comment faire? Veuillez prendre la peine de descendre un étage.

—Hélas! cela ne m'est point possible . . . Je suis enfermé mais il me reste la liberté d'employer un moyen très simple, dit Rodolphe.

Et il attacha sa pipe à une ficelle, et la laissa glisser jusqu'à la terrasse, ou mademoiselle Sidonie la bourra elle-même avec abondance. Rodolphe procéda ensuite, avec lenteur et circonspection, à l'ascension de sa pipe, qui lui arriva sans encombre.

—Ah! mademoiselle! dit-il à Sidonie, combien cette pipe

LUXEMBOURG PALACE AND GARDENS

m'eût semblé meilleure si j'avais pu l'allumer au feu de vos yeux!

Cette agréable plaisanterie en était au moins à la centième édition,[11] mais mademoiselle Sidonie ne la trouva pas moins superbe. 5

—Vous me flattez! crut-elle devoir répondre.

—Ah! Mademoiselle, je vous assure que vous me paraissez belle comme les trois Grâces.

—Décidément, *Ali-Baba* est bien galant, pensa Sidonie . . . Est-ce que vous êtes vraiment Turc? demanda-t-elle à 10 Rodolphe.

—Point par vocation, répondit-il, mais par nécessité; je suis auteur dramatique, madame.

—Et moi artiste, reprit Sidonie.

Puis elle ajouta: 15

—Monsieur mon voisin, voulez-vous me faire l'honneur de venir dîner et passer la soirée chez moi?

—Ah! mademoiselle, bien que cette proposition m'ouvre le ciel, il m'est impossible de l'accepter. Comme j'ai eu l'honneur de vous le dire, je suis enfermé par mon oncle, 20 le sieur Monetti, poêlier-fumiste, dont je suis actuellement le secrétaire.

—Vous n'en dînerez pas moins avec moi, répliqua Sidonie; écoutez bien ceci: je vais rentrer dans ma chambre et frapper à mon plafond. A l'endroit où je frapperai, vous 25 regarderez et vous trouverez les traces d'un *judas* qui existait et a été condamné depuis: trouvez le moyen d'enlever la pièce de bois qui bouche le trou, et, quoique chacun chez nous, nous serons presque ensemble . . .

Rodolphe se mit à l'œuvre sur-le-champ. Après cinq 30 minutes de travail, une communication était établie entre les deux chambres.

—Ah! fit Rodolphe, le trou est petit, mais il y aura toujours assez de place pour que je puisse vous passer mon cœur.

—Maintenant, dit Sidonie, nous allons dîner . . . Mettez le couvert chez vous, je vais vous passer les plats.

Rodolphe laissa glisser dans la chambre son turban attaché à une ficelle et le remonta chargé de comestibles, puis le poëte et l'artiste se mirent à dîner ensemble, chacun de son côté. Des dents, Rodolphe dévorait le pâté, et des yeux, mademoiselle Sidonie.

—Hélas! mademoiselle, dit Rodolphe quand ils eurent achevé leur repas, grâce à vous, mon estomac est satisfait. Ne satisferiez-vous pas de même la fringale de mon cœur, qui est à jeun depuis si longtemps?

—Pauvre garçon! dit Sidonie.

Et, montant sur un meuble, elle apporta jusqu'aux lèvres de Rodolphe sa main, que celui-ci *ganta* de baisers.

—Ah! s'écria le jeune homme, quel malheur que vous ne puissiez faire comme saint Denis,[12] qui avait le droit de porter sa tête dans ses mains.

Après le dîner commença une conversation amoroso-littéraire. Rodolphe parla du *Vengeur,* et mademoiselle Sidonie en demanda la lecture. Penché au bord du trou, Rodolphe commença à déclamer son drame à l'actrice qui, pour être plus à portée, s'était assise sur un fauteuil échafaudé sur sa commode. Mademoiselle Sidonie déclara *le Vengeur* un chef-d'œuvre; et, comme elle était un peu *maîtresse* au théâtre, elle promit à Rodolphe de lui faire recevoir sa pièce.

Au moment le plus tendre de l'entretien, l'oncle Monetti fit entendre dans le corridor son pas léger comme celui du *Commandeur.*[13] Rodolphe n'eut que le temps de fermer le judas.

—Tiens, dit Monetti à son neveu, voici une lettre qui court après toi depuis un mois.

—Voyons, dit Rodolphe. Ah! mon oncle, s'écria-t-il, mon oncle, je suis riche! Cette lettre m'annonce que j'ai remporté un prix de trois cents francs à une académie de Jeux floraux.[14] Vite ma redingote et mes *affaires,* que j'aille cueillir mes lauriers! on m'attend au Capitole. 5

—Et mon chapitre des Ventouses? dit Monetti froidement.

—Eh! mon oncle, il s'agit bien de cela! [15] Rendez-moi mes *affaires.* Je ne veux pas sortir dans cet équipage . . .

—Tu ne sortiras que lorsque mon *Manuel* sera terminé, dit l'oncle en enfermant Rodolphe à double tour. 10

Resté seul, Rodolphe ne balança pas longtemps sur le parti qu'il avait à prendre . . . Il attacha solidement à son balcon une couverture transformée en corde à nœuds; et, malgré le péril de sa tentative, il descendit, à l'aide de cette échelle improvisée, sur la terrasse de mademoiselle Sidonie. 15

—Qui est là? s'écria celle-ci en entendant Rodolphe frapper à ses carreaux.

—Silence, répondit-il, ouvrez . . .

—Que voulez-vous? qui êtes-vous?

—Pouvez-vous le demander? Je suis l'auteur du *Vengeur.* 20 et je viens rechercher mon cœur que j'ai laissé tomber dans votre chambre par le judas.

—Malheureux jeune homme, dit l'actrice, vous auriez pu vous tuer!

—Écoutez, Sidonie . . . continua Rodolphe en montrant 25 la lettre qu'il venait de recevoir. Vous le voyez, la fortune et la glorie me sourient . . .

Le lendemain matin, à l'aide d'un déguisement masculin que lui avait fourni Sidonie, Rodolphe pouvait s'échapper de la maison de son oncle . . . Il courut chez le correspon- 30 dant de l'académie des Jeux floraux recevoir une églantine d'or de la force de cent écus, qui vécurent à peu près ce que vivent les roses.

Un mois après, M. Monetti était convié, de la part de son neveu, à assister à la première représentation du *Vengeur*. Grâce au talent de mademoiselle Sidonie, la pièce eut dix-sept représentations et rapporta quarante francs à son auteur.

Quelque temps après, c'était dans la belle saison, Rodolphe demeurait avenue de Saint-Cloud, dans le troisième arbre à gauche en sortant du bois de Boulogne, sur la cinquième branche.

IV

LES FLOTS DU PACTOLE [1]

C'Était le 19 mars. . . . Et dût-il atteindre l'âge avancé de M. Raoul-Rochette,[2] qui a vu bâtir Ninive, Rodolphe n'oubliera jamais cette date, car ce fut ce jour-là même, jour de Saint-Joseph, à trois heures de relevée, que notre ami sortait de chez un banquier, où il venait de toucher une somme de cinq cents francs en espèces sonnantes et ayant cours.

Le premier usage que Rodolphe fit de cette tranche du Pérou,[3] qui venait de tomber dans sa poche, fut de ne point payer ses dettes, attendu qu'il s'était juré à lui-même d'aller à l'économie et de ne faire aucun extra. Il avait d'ailleurs à ce sujet des idées extrêmement arrêtées, et disait qu'avant de songer au superflu, il fallait s'occuper du nécessaire; c'est pourquoi il ne paya point ses créanciers, et acheta une pipe turque, qu'il convoitait depuis longtemps.

Muni de cette emplette, il se dirigea vers la demeure de son ami Marcel, qui le logeait depuis quelque temps. En entrant dans l'atelier de l'artiste, les poches de Rodolphe carillonnaient comme un clocher de village le jour d'une grande fête. En entendant ce bruit inaccoutumé, Marcel pensa que c'était un de ses voisins, grand joueur à la baisse, qui passait en revue ses bénéfices d'agio, et il murmura:

—Voilà encore cet intrigant d'à côté qui recommence ses épigrammes. Si cela doit durer, je donnerai congé. Il n'y a pas moyen de travailler avec un pareil vacarme. Cela donne des idées de quitter l'état d'artiste pauvre pour se faire quarante voleurs.[4] Et sans se douter le moins du monde que son ami Rodolphe était métamorphosé en Crésus,[5] Marcel se remit à son tableau du *Passage de la mer Rouge,* qui était sur le chevalet depuis tantôt trois ans.

Rodolphe, qui n'avait pas encore dit un mot, ruminant tout bas une expérience qu'il allait faire sur son ami, se disait en lui-même:

—Nous allons bien rire tout à l'heure; ah! que ça va donc être gai, mon Dieu! et il laissa tomber une pièce de cinq francs à terre.

Marcel leva les yeux et regarda Rodolphe, qui était sérieux comme un article de la *Revue des deux Mondes.*[6]

L'artiste ramassa la pièce avec un air très satisfait et lui fit un très gracieux accueil, car, bien que rapin, il savait vivre et était fort civil avec les étrangers. Sachant, du reste, que Rodolphe était sorti pour aller chercher de l'argent, Marcel, voyant que son ami avait réussi dans ses démarches, se borna à en admirer le résultat, sans lui demander à l'aide de quels moyens il avait été obtenu.

Il se remit donc sans mot dire à son travail, et acheva de noyer un Égyptien dans les flots de la mer Rouge. Comme il accomplissait cet homicide, Rodolphe laissa tomber une seconde pièce de cinq francs. Et observant la figure que le peintre allait faire, il se mit à rire dans sa barbe, qui est tricolore,[7] comme chacun sait.

Au bruit sonore du métal, Marcel, comme frappé d'une commotion électrique, se leva subitement et s'écria:

—Comment! il y a un second couplet?

Une troisième pièce roula sur le carreau, puis une autre, puis une autre encore; enfin tout un quadrille d'écus se mit à danser dans la chambre.

Marcel commençait à donner des signes visibles d'aliénation mentale, et Rodolphe riait comme le parterre du Théâtre-Français[8] à la première représentation de *Jeanne de Flandre*.[9] Tout à coup, et sans aucuns ménagements, Rodolphe fouilla à pleines mains dans ses poches, et les écus commencèrent un *steeple chase*[10] fabuleux. C'était le débordement du Pactole, le bacchanal de Jupiter entrant chez Danaé.[11]

Marcel était immobile, muet, l'œil fixe; l'étonnement amenait à peu près chez lui une métamorphose pareille à celle dont la curiosité rendit jadis la femme de Loth[12] victime; et comme Rodolphe jetait sur le carreau sa dernière pile de cent francs, l'artiste avait déjà tout un côté du corps salé.

Rodolphe, lui, riait toujours. Et auprès de cette orageuse hilarité les tonnerres d'un orchestre de M. Sax[13] eussent semblé des soupirs d'enfants à la mamelle.

Ébloui, strangulé, stupéfié par l'emotion, Marcel pensa qu'il rêvait; et pour chasser le cauchemar qui l'obsédait, il se mordit le doigt jusqu'au sang, ce qui lui procura une douleur atroce au point de le faire crier.

Il s'aperçut alors qu'il était parfaitement éveillé; et voyant qu'il foulait l'or à ses pieds, il s'écria, comme dans les tragédies:

—En croirai-je mes yeux!

Puis il ajouta, en prenant la main de Rodolphe dans la sienne:

—Donne-moi l'explication de ce mystère.

—Si je te l'expliquais, ce n'en serait plus un.

—Mais encore?

—Cet or est le fruit de mes sueurs, dit Rodolphe en ramassant l'argent, qu'il rangea sur une table; puis, se reculant de quelques pas, il considéra avec respect les cinq cents francs rangés en piles, et il pensait en lui-même.

—C'est donc maintenant que je vais réaliser mes rêves?

—Il ne doit pas y avoir loin de six mille francs, disait Marcel en contemplant les écus qui tremblaient sur la table. J'ai une idée. Je vais charger Rodolphe d'acheter mon *Passage de la mer Rouge.*

Tout à coup Rodolphe prit une pose théâtrale, et, avec une grande solennité dans le geste et dans la voix, il dit à l'artiste:

—Écoute-moi, Marcel, la fortune que j'ai fait briller à tes regards n'est point le résultat de viles manœuvres, je n'ai point trafiqué de ma plume,[14] je suis riche mais honnête; cet or m'a été donné par une main généreuse, et j'ai fait serment de l'utiliser à acquérir par le travail une position sérieuse pour l'homme vertueux. Le travail est le plus saint des devoirs.

—Et le cheval le plus noble des animaux, dit Marcel en interrompant Rodolphe. Ah çà! ajouta-t-il, que signifie ce discours, et d'où tires-tu cette prose? des carrières de l'école du bon sens, sans doute?

—Ne m'interromps point et fais trêve à tes railleries, dit Rodolphe, elles s'émousseraient d'ailleurs sur la cuirasse d'une invulnérable volonté dont je suis revêtu désormais.

—Voyons, assez de prologue comme cela. Où veux-tu en venir?

—Voici quels sont mes projets: A l'abri des embarras matériels de la vie, je vais travailler sérieusement; j'achèverai ma *grande machine,*[15] et je me poserai carrément dans l'opinion. D'abord, je renonce à la Bohème, je m'habille comme tout le monde, j'aurai un habit noir et j'irai dans les salons. Si tu veux marcher dans ma voie, nous continuerons à demeurer ensemble, mais il faudra adopter mon programme. La plus stricte économie présidera à notre existence. En sachant nous arranger, nous avons trois mois de travail assuré sans aucune préoccupation. Mais il faut de l'économie.

—Mon ami, dit Marcel, l'économie est une science qui est seulement à la portée des riches, ce qui fait que toi et moi nous en ignorons les premiers éléments. Cependant, en faisant une avance de fonds de six francs, nous achèterons les œuvres de M. Jean-Baptiste Say,[16] qui est un économiste très distingué, et il nous enseignera peut-être la manière de pratiquer cet art . . . Tiens, tu as une pipe turque, toi?

—Oui, dit Rodolphe, je l'ai achetée vingt-cinq francs.

—Comment! tu mets vingt-cinq francs à une pipe . . . et tu parles d'économie? . . .

—Et ceci en est certainement une, répondit Rodolphe; je cassais tous les jours une pipe de deux sous; à la fin de l'année, cela constituait une dépense bien plus forte que celle que je viens de faire . . . C'est donc en réalité une économie.

—Au fait, dit Marcel, tu as raison, je n'aurais pas trouvé celle-là.

En ce moment, une horloge voisine sonna six heures.

—Dînons vite, dit Rodolphe, je veux dès ce soir me mettre en route. Mais, à propos de dîner, je fais une réflexion: nous perdons tous les jours un temps précieux à faire notre cuisine; or, le temps est la richesse du travailleur, il faut donc en être économe. A compter d'aujourd'hui nous prendrons nos repas en ville.

—Oui, dit Marcel, il y a à vingt pas d'ici un excellent restaurant; il est un peu cher, mais comme il est notre voisin, la course sera moins longue, et nous nous rattraperons sur le gain du temps.

—Nous irons aujourd'hui, dit Rodolphe; mais demain ou après, nous aviserons à adopter une mesure encore plus économique . . . Au lieu d'aller au restaurant, nous prendrons une cuisinière.

—Non, non, interrompit Marcel, nous prendrons plutôt un domestique qui sera en même temps notre cuisinier. Vois un peu les immenses avantages qui en résulteront. D'abord, notre ménage sera toujours fait: il cirera nos bottes, 5 il lavera mes pinceaux, il fera nos commissions; je tâcherai même de lui inculquer le goût des beaux-arts, et j'en ferai mon rapin. De cette façon, à nous deux nous économiserons au moins six heures par jour en soins et en occupations qui seraient d'autant nuisibles à notre travail.

10 Cinq minutes après, les deux amis étaient installés dans un des cabinets du restaurant voisin, et continuaient à deviser d'économie.

—En effet, dit Rodolphe, nous nous procurerons un garçon intelligent; et s'il a quelque teinture d'orthographe, 15 je lui apprendrai à rédiger.

—Ça lui sera une ressource pour ses vieux jours, dit Marcel en additionnant la carte qui se montait à quinze francs. Tiens, c'est assez cher. Habituellement, nous dînions pour trente sous à nous deux.

20 —Oui, reprit Rodolphe, mais nous dînions mal, et nous étions obligés de souper le soir. A tout prendre, c'est donc une économie.

—Tu es comme le plus fort, murmura l'artiste vaincu par ce raisonnement, tu as toujours raison. Est-ce que nous 25 travaillons ce soir?

—Ma foi, non. Moi, je vais aller voir mon oncle, dit Rodolphe; c'est un brave homme, je lui apprendrai ma nouvelle position, et il me donnera de bons conseils. Et toi, où vas-tu, Marcel?

30 —Moi, je vais aller chez le vieux Médicis [17] pour lui demander s'il n'a pas de restaurations de tableaux à me confier. A propos, donne-moi donc cinq francs.

—Pourquoi faire?

—Pour passer le pont des Arts.[18]

—Ah! ceci est une dépense inutile, et quoique peu considérable, elle s'éloigne de notre principe.

—J'ai tort, en effet, dit Marcel, je passerai par le pont Neuf . . . Mais je prendrai un cabriolet. 5

Et les deux amis se quittèrent en prenant chacun un chemin différent, qui par un singulier hasard, les conduisit tous deux au même endroit, où ils se retrouvèrent.

—Tiens, tu n'as donc pas trouvé ton oncle? demanda Marcel. 10

—Tu n'as donc point vu Médicis? demanda Rodolphe.

Et ils éclatèrent de rire.

Cependant ils rentrèrent chez eux de très bonne heure . . . le lendemain.

Deux jours après, Rodolphe et Marcel étaient complétement métamorphosés. Habillés tous deux comme des mariés de première classe, ils étaient si beaux, si reluisants, si élégants, que, lorsqu'ils se rencontraient dans la rue, ils hésitaient à se reconnaître l'un l'autre. 15

Leur système d'économie était, du reste, en pleine vigueur, mais l'organisation du travail avait bien de la peine à se réaliser. Ils avaient pris un domestique. C'était un grand garçon de trente-quatre ans d'origine suisse, et d'une intelligence qui rappelait celle de Jocrisse.[19] Du reste, il n'était pas né pour être domestique; et si un de ses maîtres lui confiait quelque paquet un peu apparent à porter, Baptiste rougissait avec indignation, et faisait faire la course par un commissionnaire. Cependant Baptiste avait des qualités; ainsi, quand on lui donnait un lièvre, il en faisait un civet au besoin. En outre, comme il avait été distillateur avant d'être valet, il avait conservé un grand amour pour son art, et dérobait une grande partie du temps qu'il devait à ses maîtres à chercher la composition d'un nouveau vulnéraire 20 25 30 supérieur, auquel il voulait donner son nom; il réussissait aussi dans le brou de noix. Mais où Baptiste n'avait pas de rival, c'était dans l'art de fumer les cigares de Marcel et de les allumer avec les manuscrits de Rodolphe.

5 Un jour, Marcel voulut faire poser Baptiste en costume de Pharaon,[20] pour son tableau du *Passage de la mer Rouge.* A cette proposition, Baptiste répondit par un refus absolu et demanda son compte.

—C'est bien, dit Marcel, je vous le réglerai ce soir, votre 10 compte.

Quand Rodolphe rentra, son ami lui déclara qu'il fallait renvoyer Baptiste. Il ne nous sert absolument à rien, dit-il.

—Il est vrai, répondit Marcel; c'est un objet d'art vivant.

—Il est bête à faire cuire.

15 —Il est paresseux.

—Il faut le renvoyer.

—Renvoyons-le.

—Cependant il a bien quelques qualités. Il fait très bien le civet.

20 —Et le brou de noix, donc. Il est le Raphaël du brou de noix.

—Oui; mais il n'est bon qu'à cela, et cela ne peut nous suffire. Nous perdons tout notre temps en discussions avec lui.

25 —Il nous empêche de travailler.

—Il est cause que je ne pourrai pas avoir achevé mon *Passage de la mer Rouge* pour le salon. Il a refusé de poser pour Pharaon.

—Grâce à lui, je n'ai point pu achever le travail qu'on 30 m'avait demandé. Il n'a pas voulu aller à la Bibliothèque chercher les notes dont j'avais besoin.

—Il nous ruine.

—Décidément, nous ne pouvons pas le garder.

—Renvoyons-le . . . Mais alors nous devons le payer.

—Nous le payerons, mais qu'il parte! donne-moi de l'argent, que je fasse son compte.

—Comment, de l'argent! mais ce n'est pas moi qui tiens la caisse, c'est toi. 5

—Du tout, c'est toi. Tu t'es chargé de l'intendance générale, dit Rodolphe.

—Mais je t'assure que je n'ai pas d'argent! exclama Marcel.

—Est-ce qu'il n'y en aurait déjà plus? C'est impossible! 10 on ne peut pas dépenser cinq cents francs en huit jours, surtout quand on vit, comme nous l'avons fait, avec l'économie la plus absolue, et qu'on se borne au strict nécessaire. (C'est au strict superflu qu'il aurait dû dire.) Il faut vérifier les comptes, reprit Rodolphe; nous retrouverons 15 l'erreur.

—Oui, dit Marcel; mais nous ne retrouverons pas l'argent. C'est égal, consultons les livres de dépense.

Voici le spécimen de cette comptabilité, qui avait été commencée sous les auspices de la sainte Économie: 20

—Du 19 mars. En recette, 500 fr. En dépense: une pipe turque, 25 fr.; dîner, 15 fr.; dépenses diverses, 40 fr.

—Qu'est-ce que c'est que ces dépenses-là? dit Rodolphe à Marcel qui lisait.

—Tu sais bien, répondit celui-ci, c'est le soir où nous ne 25 sommes rentrés chez nous que le matin. Du reste, cela nous a économisé du bois et de la bougie.

—Après? continue.

—Du 20 mars. Déjeuner, 1 fr. 50 c.; tabac, 20 c.; dîner, 2 fr.; un lorgnon, 2 fr. 50. Oh! dit Marcel, c'est pour ton 30 compte le lorgnon! Qu'avais-tu besoin d'un lorgnon? tu y vois parfaitement . . .

—Tu sais bien que j'avais à faire un compte rendu du

Salon [21] dans *l'Écharpe d'Iris;* il est impossible de faire de la critique de peinture sans lorgnon; c'était une dépense légitime. Après? . . .

—Une canne en jonc . . .

—Ah! ça, c'est pour ton compte, fit Rodolphe, tu n'avais pas besoin de canne.

—C'est tout ce qu'on a dépensé le 20, fit Marcel sans répondre. Le 21, nous avons déjeuné en ville, et dîné aussi, et soupé aussi.

—Nous n'avons pas dû dépenser beaucoup ce jour-là?

—En effet, fort peu . . . A peine trente francs.

—Mais à quoi donc, alors?

—Je ne sais plus, dit Marcel; mais c'est marqué sous la rubrique: Dépenses diverses.

—Un titre vague et perfide! interrompit Rodolphe.

—Le 22. C'est le jour d'entrée de Baptiste; nous lui avons donné un à-compte de 5 fr. sur ses appointements; pour l'orgue de barbarie, 50 c., pour le rachat [22] de quatre petits enfants chinois condamnés à être jetés dans le fleuve Jaune, par des parents d'une barbarie incroyable, 2 fr. 40 c.

—Ah çà! dit Rodolphe, explique-moi un peu la contradiction qu'on remarque dans cet article. Si tu donnes aux orgues de barbarie, pourquoi insultes-tu les parents barbares? Et d'ailleurs quelle nécessité de racheter des petits Chinois? S'ils avaient été à l'eau-de-vie, seulement.

—Je suis né généreux, répliqua Marcel, va, continue; jusqu'à présent on ne s'est que très peu éloigné du principe de l'économie.

—Du 23, il n'y a rien de marqué. Du 24, idem. Voilà deux bons jours. Du 25, donné à Baptiste, à-compte sur ses appointements, 3 francs.

—Il me semble qu'on lui donne bien souvent de l'argent, fit Marcel en manière de réflexion.

—On lui devra moins, répondit Rodolphe. Continue.

—Du 26 mars, dépenses diverses et utiles au point de vue de l'art, 36 fr. 40 c.

—Qu'est-ce donc qu'on peut avoir acheté de si utile? dit Rodolphe; je ne me souviens pas, moi. 36 fr. 40 c., qu'est-ce que ça peut donc être? 5

—Comment tu ne te souviens pas? . . . C'est le jour où nous sommes montés sur les tours Notre-Dame [23] pour voir Paris à vol d'oiseau . . .

—Mais ça coûte huit sous pour monter aux tours, dit Rodolphe. 10

—Oui, mais en descendant nous avons été dîner à Saint-Germain.

—Cette rédaction pèche par la limpidité.

—Du 27, il n'y a rien de marqué. 15

—Bon! voilà de l'économie.

—Du 28, donné à Baptiste, à-compte sur ses gages, 6 fr.

—Ah! cette fois, je suis sûr que nous ne devons plus rien à Baptiste. Il se pourrait même qu'il nous dût . . . Il faudra voir. 20

—Du 29. Tiens, on n'a pas marqué le 29; la dépense est remplacée par un commencement d'article de mœurs.

—Le 30. Ah! nous avions du monde à diner: forte dépense, 30 fr. 55 c. Le 31, c'est aujourd'hui, nous n'avons encore rien dépensé. Tu vois, dit Marcel en achevant, que les comptes ont été tenus très exactement. Le total ne fait pas 500 francs. 25

—Alors, il doit rester de l'argent en caisse.

—On peut voir, dit Marcel en ouvrant un tiroir. Non, dit-il, il n'y a plus rien. Il n'y a qu'une araignée. 30

—Araignée du matin, chagrin,[24] fit Rodolphe.

—Où diable a pu passer tant d'argent? reprit Marcel atterré en voyant la caisse vide.

—Parbleu! c'est bien simple, dit Rodolphe, on a tout donné à Baptiste.

—Attends donc! s'écria Marcel en fouillant dans le tiroir où il aperçut un papier. La quittance du dernier terme! s'écria-t-il.

—Bah! fit Rodolphe, comment est-elle arrivée là?

—Et acquittée, encore, ajouta Marcel; c'est donc toi qui as payé le propriétaire?

—Moi, allons donc! dit Rodolphe.

—Cependant, que signifie . . .

—Mais je t'assure . . .

—« Quel est donc ce mystère? » chantèrent-ils tous deux en chœur sur l'air du final de *la Dame Blanche.*[25]

Baptiste, qui aimait la musique, accourut aussitôt.

Marcel lui montra la quittance.

—Ah! oui, fit Baptiste négligemment, j'avais oublié de vous le dire, c'est le propriétaire qui est venu ce matin, pendant que vous étiez sortis. Je l'ai payé, pour lui éviter la peine de revenir.

Où avez-vous trouvé de l'argent?

—Ah! Monsieur, fit Baptiste, je l'ai *prise*[26] dans le tiroir qui était ouvert; j'ai même pensé que ces Messieurs[27] l'avaient laissé ouvert dans cette intention, et je me suis dit: Mes maîtres ont oublié de me dire en sortant: » Baptiste, le propriétaire viendra toucher son terme de loyer, il faudra le payer; » et j'ai fait comme si on m'avait commandé . . . sans qu'on m'ait commandé.

—Baptiste, dit Marcel avec une colère blanche, vous avez outrepassé nos ordres; à compter d'aujourd'hui vous ne faites plus partie de notre maison. Baptiste, rendez votre livrée.

Baptiste ôta la casquette de toile cirée qui composait sa livrée et la rendit à Marcel.

AIRPLANE VIEW OF CENTRAL PARIS
Showing the Seine, the Ile de la Cité, with the Cathedral of Notre Dame, and the Ile St. Louis

—C'est bien, dit celui-ci: maintenant vous pouvez partir. . . .

—Et mes gages?

—Comment dites-vous, drôle? Vous avez reçu plus qu'on ne vous devait. Je vous ai donné 14 francs en quinze jours à peine. Qu'est-ce que vous faites de tant d'argent? Vous entretenez donc une danseuse?

—De corde, ajouta Rodolphe.

—Je vais donc rester abandonné, dit le malheureux domestique, sans abri pour garantir ma tête!

—Reprenez votre livrée, répondit Marcel ému malgré lui.

Et il rendit la casquette à Baptiste.

—C'est pourtant ce malheureux qui a dilapidé notre fortune, dit Rodolphe en voyant sortir le pauvre Baptiste. Où dînerons-nous aujourd'hui?

—Nous le saurons demain, répondit Marcel.

V

LES VIOLETTES DU POLE

En ce temps-là, Rodolphe était très amoureux de sa cousine Angèle,[1] qui ne pouvait pas le souffrir, et le thermomètre de l'ingénieur Chevalier[2] marquait douze degrés au-dessous de zéro.[3]

Mademoiselle Angèle était la fille de M. Monetti, le poêlier fumiste dont nous avons eu occasion de parler déjà. Mademoiselle Angèle avait dix-huit ans, et arrivait de la Bourgogne, où elle avait passé cinq années près d'une parente qui devait lui laisser son bien après sa mort. Cette parente était une vieille femme qui n'avait jamais été ni jeune ni belle, mais qui avait toujours été méchante, quoique dévote, ou parce que.[4] Angèle qui, à son départ, était une charmante enfant, dont l'adolescence portait déjà le germe d'une charmante jeunesse, revint au bout de cinq années changée en une belle, mais froide, mais sèche[5] et indifférente personne. La vie retirée de province, les pratiques d'une dévotion outrée et l'éducation à principes mesquins qu'elle avait reçue, avaient rempli son esprit de préjugés vulgaires et absurdes, rétréci son imagination, et fait de son cœur une espèce d'organe qui se bornait à accomplir sa fonction de balancier. Angèle avait, pour ainsi dire, de l'eau bénite au lieu de sang dans les veines. A son retour, elle accueillit son cousin avec une réserve glaciale, et il perdit son temps toutes les fois qu'il essaya de faire vibrer en elle la tendre corde des ressouvenirs, souvenirs du temps où ils avaient ébauché tous deux cette amourette à la Paul et Virginie,[6] qui est traditionnelle entre cousin et cousine. Cependant, Rodolphe était très amoureux de sa cousine Angèle, qui ne pouvait pas le souffrir; et ayant appris un jour que la jeune fille devait aller prochainement à un bal de noces d'une de ses amies, il s'était enhardi jusqu'au point de promettre à Angèle un bouquet de violettes pour aller à ce bal. Et, après avoir demandé la permission à son père, Angèle accepta la galanterie de son cousin, en insistant toutefois pour avoir des violettes blanches.

Rodolphe, tout heureux de l'amabilité de sa cousine, gambadait et chantonnait en regagnant son *mont Saint-Bernard.*[7] C'est ainsi qu'il appelait son domicile. On verra pourquoi tout à l'heure. Comme il traversait le Palais-Royal,[8] en passant devant la boutique de madame Provost, la célèbre fleuriste, Rodolphe vit des violettes blanches à l'étalage, et par curiosité il entra pour en demander le prix. Un bouquet présentable ne coûtait pas moins de dix francs, mais il y en avait qui coûtaient davantage.

—Diable! dit Rodolphe, dix francs, et rien que huit jours devant moi pour trouver ce million. Il y aura du tirage; mais c'est égal, ma cousine aura son bouquet. J'ai mon idée.

Cette aventure se passait au temps de la genèse littéraire de Rodolphe. Il n'avait alors d'autre revenu qu'une pension de quinze francs par mois qui lui était faite par un de ses amis, un grand poëte qui, après un long séjour à Paris, était devenu, à l'aide de protections, maître d'école en province. Rodolphe, qui avait eu la prodigalité pour marraine, dépensait toujours sa pension en quatre jours; et, comme il ne voulait pas abandonner la sainte et peu productive profession de poëte élégiaque, il vivait le reste du temps de cette manne hasardeuse qui tombe lentement des corbeilles de la Providence. Ce carême ne l'effrayait pas; il le traversait gaiement, grâce à une sobriété stoïque, et aux trésors d'imagination qu'il dépensait chaque jour pour atteindre le 1er du mois, ce jour de Pâques qui terminait son jeûne. A cette époque, Rodolphe habitait rue Contrescarpe-Saint-Marcel, 5 dans un grand bâtiment qui s'appelait autrefois l'hôtel de l'*Éminence grise*, parce que le père Joseph,[9] l'âme damnée de Richelieu, y avait habité, disait-on. Rodolphe logeait tout en haut de cette maison, une des plus élevées qui soient à Paris. Sa chambre, disposée en forme de belvédère, était 10 une délicieuse habitation pendant l'été; mais d'octobre à avril, c'était un petit Kamtchatka. Les quatre vents cardinaux, qui pénétraient par les quatre croisées dont chaque face était percée, y venaient exécuter de farouches quatuors durant toute la mauvaise saison. Comme une ironie, on 15 remarquait encore une cheminée dont l'immense ouverture semblait être une entrée d'honneur réservée à Borée et à toute sa suite. Aux premières atteintes du froid, Rodolphe avait recouru à un système particulier de chauffage: il avait mis en coupe réglée le peu de meubles qu'il avait, et, au 20 bout de huit jours, son mobilier se trouva considérablement abrégé: il ne lui restait plus que le lit et deux chaises; il est vrai de dire que ces meubles étaient en fer et, par ainsi, naturellement assurés contre l'incendie. Rodolphe appelait cette manière de se chauffer, déménager par la cheminée.

25 On était donc au mois de janvier, et le thermomètre, qui marquait douze degrés au quai des Lunettes, en aurait marqué deux ou trois de plus s'il avait été transporté dans le belvédère que Rodolphe avait surnommé le *mont Saint-Bernard*, le *Spitzberg*, la *Sibérie*.

30 Le soir où il avait promis des violettes blanches à sa cousine, Rodolphe fut pris d'une grande colère en rentrant chez lui: les quatre vents cardinaux avaient encore cassé un carreau en jouant aux quatre coins dans la chambre. C'était

Courtesy of Dodd, Mead and Company

PALAIS ROYAL
(Old print)

le troisième dégât de ce genre depuis quinze jours. Aussi Rodolphe s'emporta en imprécations furibondes contre Éole et toute sa famille de Brise-Tout. Après avoir bouché cette brèche nouvelle avec un portrait d'un de ses amis, Rodolphe se coucha tout habillé entre les deux planches cardées qu'il appelait ses matelas, et toute la nuit il rêva violettes blanches.

Au bout de cinq jours, Rodolphe n'avait encore trouvé aucun moyen qui pût l'aider à réaliser son rêve, et c'était le surlendemain qu'il devait donner le bouquet à sa cousine. Pendant ce temps-là, le thermomètre était encore descendu, et le malheureux poëte se désespérait en songeant que les violettes étaient peut-être renchéries. Enfin la Providence eut pitié de lui, et voici comme elle vint à son secours.

Un matin, Rodolphe alla à tout hasard demander à déjeuner à son ami, le peintre Marcel, et il le trouva en conversation avec une femme en deuil. C'était une veuve du quartier; elle avait perdu son mari récemment, et elle venait demander combien on lui prendrait pour peindre sur le tombeau qu'elle avait fait élever au défunt, une *main d'homme,* au-dessous de laquelle on écrirait:

JE T'ATTENDS, MON ÉPOUSE CHÉRIE

Pour obtenir le travail à meilleur compte, elle fit même observer a l'artiste qu'à l'époque où Dieu l'enverrait rejoindre son époux, il aurait à peindre une seconde main, sa main à elle, ornée d'un bracelet, avec une nouvelle légende qui serait ainsi conçue:

NOUS VOILA DONC ENFIN RÉUNIS

—Je mettrai cette clause dans mon testament, disait la veuve, et j'exigerai que ce soit à vous que la besogne soit confiée.

—Puisque c'est ainsi, Madame, répondit l'artiste, j'accepte le prix que vous me proposez . . . mais c'est dans l'espérance de la *poignée de main.* N'allez pas m'oublier [10] dans votre testament.

—Je désirerais que vous me donniez cela le plus tôt possible, dit la veuve; néanmoins, prenez votre temps et n'oubliez pas la cicatrice au pouce. Je veux une main vivante.

—Elle sera parlante, Madame, soyez tranquille, fit Marcel en reconduisant la veuve. Mais, au moment de sortir, celle-ci revint sur ses pas.

—J'ai encore un renseignement à vous demander, monsieur le peintre; je voudrais faire écrire sur la tombe de mon mari une *machine* en vers,[11] où on raconterait sa bonne conduite et les dernières paroles qu'il a prononcées à son lit de mort. Est-ce distingué?

—C'est très distingué, on appelle ça une épitaphe, c'est très distingué!

—Vous ne connaîtriez pas quelqu'un qui puisse me faire cela à bon marché? Il y a bien mon voisin, M. Guérin, l'écrivain public, mais il me demande les yeux de la tête.

Ici Rodolphe lança un coup d'œil à Marcel qui comprit sur-le-champ.

—Madame, dit l'artiste en désignant Rodolphe, un hasard heureux a amené ici la personne qui peut vous être utile en cette douloureuse circonstance. Monsieur est un poëte distingué, et vous ne pourriez mieux trouver.

—Je tiendrais à ce que ce soit triste, dit la veuve, et que l'orthographe fût bien mise.

—Madame, répondit Marcel, mon ami sait l'orthographe sur le bout du doigt: au collége, il avait tous les prix.

—Tiens, dit la veuve, mon neveu a eu aussi un prix; il n'a pourtant que sept ans.

—C'est un enfant bien précoce, répliqua Marcel.

—Mais, dit la veuve en insistant, Monsieur sait-il faire des vers tristes?

—Mieux que personne, Madame, car il a eu beaucoup de chagrins dans sa vie. Mon ami excelle dans les vers tristes, c'est ce que les journaux lui reprochent toujours.

—Comment! s'écria la veuve, on parle de lui dans les journaux! alors, il est bien aussi savant que M. Guérin, l'écrivain public.

—Oh! bien plus! Adressez-vous à lui, Madame, vous ne vous en repentirez pas.

Après avoir expliqué au poëte le sens de l'inscription en vers qu'elle voulait faire mettre sur la tombe de son mari, la veuve convint de donner dix francs à Rodolphe, si elle était contente; seulement, elle voulait avoir les vers très vite. Le poëte promit de les lui envoyer le lendemain même par son ami.

—O bonne fée Artémise,[12] s'écria Rodolphe quand la veuve fut partie, je te promets que tu seras contente; je te ferai bonne mesure de lyrisme funèbre, et l'orthographe sera mieux mise qu'une duchesse. O bonne vieille, puisse pour te récompenser, le ciel te faire vivre cent sept ans, comme la bonne eau-de-vie!

—Je m'y oppose! s'écria Marcel.

—C'est vrai, dit Rodolphe, j'oubliais que tu as encore une main à peindre après sa mort, et qu'une pareille longévité te ferait perdre de l'argent. Et il leva les mains en disant: Ciel! n'exaucez pas ma prière! Ah! j'ai une fière chance d'être venu ici, ajouta-t-il.

—Au fait, qu'est-ce que tu me voulais? dit Marcel.

—J'y resonge, et maintenant surtout que je suis forcé de passer la nuit pour faire cette poésie, je ne puis me dispenser de ce que je venais te demander: 1° à dîner; 2° du tabac et de la chandelle; et 3° ton costume d'ours blanc.

—Est-ce que tu vas au bal masqué? C'est ce soir le premier, en effet.

5 —Non; mais tel que tu me vois, je suis aussi gelé que la grande armée pendant la retraite de Russie.[13] Certainement mon paletot de lasting vert et mon pantalon en mérinos écossais sont très jolis; mais c'est trop printanier, et bon pour habiter sous l'équateur; lorsqu'on demeure sous le pôle, 10 comme moi, un costume d'ours blanc est plus convenable, je dirai même plus, il est exigible.

—Prends le *martin,* dit Marcel; c'est une idée, il est chaud comme braise, et tu seras là-dedans comme un pain dans un four.

15 Rodolphe habitait déjà la peau de l'animal fourré.

—Maintenant, dit-il, le thermomètre va être furieusement vexé.

—Est-ce que tu vas sortir comme ça? dit Marcel à son ami, après qu'ils eurent achevé un dîner vague, servi dans 20 de la vaisselle timbrée à cinq centimes.

—Parbleu, dit Rodolphe, je me moque pas mal de l'opinion; d'ailleurs, c'est aujourd'hui le commencement du carnaval. Et il traversa tout Paris avec l'attitude grave du quadrupède dont il habitait le poil. En passant devant le 25 thermomètre de l'ingénieur Chevalier, Rodolphe alla lui faire un pied de nez.

Rentré chez lui, non sans avoir causé une grande frayeur à son portier, le poëte alluma sa chandelle et eut grand soin de l'entourer d'un papier transparent pour prévenir les 30 malices des aquilons; et sur-le-champ il se mit à la besogne. Mais il ne tarda pas à s'apercevoir que si son corps était préservé à peu près du froid, ses mains ne l'étaient pas; et il n'avait point écrit deux vers de son épitaphe, qu'une onglée féroce vint lui mordre les doigts, qui lâchèrent la plume.

—L'homme le plus courageux ne peut pas lutter contre les éléments, dit Rodolphe en tombant anéanti sur sa chaise. César a passé le Rubicon,[14] mais il n'aurait point passé la Bérésina. 5

Tout à coup le poëte poussa un cri de joie du fond de sa poitrine d'ours, et il se leva si brusquement qu'il renversa une partie de son encre sur la blancheur de sa fourrure: il avait eu une idée, renouvelée de Chatterton.[15] 10

Rodolphe tira de dessous son lit un amas considérable de papiers, parmi lesquels se trouvaient une dizaine de manuscrits énormes de son fameux drame du *Vengeur*. Ce drame, auquel il avait travaillé deux ans, avait été fait, défait, refait tant de fois, que les copies réunies formaient 15 un poids de sept kilogrammes. Rodolphe mit de côté le manuscrit le plus récent et traîna les autres devant le cheminée.

—J'étais bien sûr que j'en trouverais le placement, s'écria-t-il . . . avec de la patience! Voilà certainement un joli cotret de prose. Ah! si j'avais pu prévoir ce qui arrive, 20 j'aurais fait un prologue, et aujourd'hui j'aurais plus de combustible . . . Mais bah! on ne peut pas tout prévoir. Et il alluma dans sa cheminée quelques feuilles du manuscrit, à la flamme desquels il se dégourdit les mains. Au bout de cinq minutes, le premier acte du *Vengeur* était *joué* et 25 Rodolphe avait écrit trois vers de son épitaphe.

Rien au monde ne saurait peindre l'étonnement des quatre vents cardinaux en apercevant du feu dans la cheminée.

—C'est une illusion, souffla le vent du nord qui s'amusa à rebrousser le poil de Rodolphe. 30

—Si nous allions souffler dans le tuyau, reprit un autre vent, ça ferait fumer la cheminée. Mais comme ils allaient commencer à tarabuster le pauvre Rodolphe, le vent du sud aperçut M. Arago[16] à une fenêtre de l'Observatoire, où le savant faisait du doigt une menace au quatour d'aquilons.

Aussi le vent du sud cria à ses frères: « Sauvons-nous bien vite, l'almanach marque un temps calme pour cette nuit; nous nous trouvons en contravention avec l'Observatoire, et, si nous ne sommes pas rentrés à minuit, M. Arago nous fera mettre en retenue. »

Pendant ce temps-là, le deuxième acte du *Vengeur* brûlait avec le plus grand succès. Et Rodolphe avait écrit dix vers. Mais il ne put en écrire que deux pendant la durée du troisième acte.

—J'avais toujours pensé que cet acte-là était trop court, murmura Rodolphe, mais il n'y a qu'à la représentation qu'on s'aperçoive d'un défaut. Heureusement que celui-ci va durer plus longtemps: il y a vingt-trois scènes, dont la scène du trône, qui devait être celui de ma gloire . . . La dernière tirade de la scène du trône s'envolait en flammèches comme Rodolphe avait encore un sixain à écrire.

—Passons au quatrième acte, dit-il en prenant un air de feu. Il durera bien cinq minutes, c'est tout monologue. Il passa au dénoûment, qui ne fit que flamber et s'éteindre. Au même moment, Rodolphe encadrait dans un magnifique élan de lyrisme les dernières paroles du défunt en l'honneur de qui il venait de travailler. Il en restera pour une seconde représentation, dit-il en poussant sous son lit quelques autres manuscrits.

. . . .

Le lendemain, à huit heures du soir, mademoiselle Angèle faisait son entrée au bal, ayant à la main un superbe bouquet de violettes blanches, au milieu desquelles s'épanouissaient deux roses, blanches aussi. Toute la nuit, ce bouquet valut à la jeune fille des compliments des femmes et des madrigaux des hommes. Aussi Angèle sut-elle un peu gré à son cousin

Courtesy of George Barrie's Sons

ET IL ALLUMA DANS SA CHEMINÉE QUELQUES FEUILLES DU MANUSCRIT

qui lui avait procuré toutes ces petites satisfactions d'amour-propre, et elle aurait peut-être pensé à lui davantage sans les galantes persécutions d'un parent de la mariée qui avait dansé plusieurs fois avec elle. C'était un jeune homme blond, et porteur d'une de ces superbes paires de moustaches 5 relevées en crocs, qui sont les hameçons où s'accrochent les cœurs novices. Le jeune homme avait déjà demandé a Angèle qu'elle lui donnât les deux roses blanches qui restaient de son bouquet, effeuillé par tout le monde . . . Mais Angèle avait refusé, pour oublier à la fin du bal les deux fleurs sur 10 une banquette, où le jeune homme blond courut les prendre.

A ce moment-là, il y avait quatorze degrés de froid dans le belvédère de Rodolphe, qui, appuyé à sa fenêtre, regardait du côté de la barrière du Maine les lumières de la salle de bal où dansait sa cousine Angèle, qui ne pouvait pas 15 le souffrir.

VI

UN CAFÉ DE LA BOHÈME

VOICI par quelle suite de circonstances Carolus Barbemuche, homme de lettres et philosophe platonicien, devint membre de la Bohème en la vingt-quatrième année de son âge.

5 En ce temps-là, Gustave Colline, le grand philosophe, Marcel, le grand peintre, Schaunard, le grand musicien, et Rodolphe, le grand poëte, comme ils s'appelaient entre eux, fréquentaient régulièrement le café *Momus,* où on les avait surnommés les *quatre mousquetaires,*[1] à cause qu'on les 10 voyait toujours ensemble. En effet, ils venaient, s'en allaient ensemble, jouaient ensemble, et quelquefois aussi ne payaient pas leur consommation, toujours avec un ensemble digne de l'orchestre du Conservatoire.

Ils avaient choisi pour se réunir une salle où quarante 15 personnes eussent été à l'aise; mais on les trouvait toujours seuls, car ils avaient fini par rendre le lieu inabordable aux habitués ordinaires.

Le consommateur de passage qui s'aventurait dans cet antre y devenait, dès son entrée, la victime du farouche 20 quatuor, et, la plupart du temps, se sauvait sans achever sa gazette et sa demi-tasse, dont [2] des aphorismes inouïs sur l'art, le sentiment et l'économie politique faisaient tourner la crème. Les conversations des quatre compagnons étaient de telle nature, que le garçon qui les servait était devenu 25 idiot à la fleur de l'âge.

Cependant les choses arrivèrent à un tel point d'arbitraire, que le maître du café perdit enfin patience, et il monta un soir faire gravement l'exposé de ses griefs:

1° M. Rodolphe venait dès le matin déjeuner, et emportait dans *sa* salle tous les journaux de l'établissement; il poussait même l'exigence jusqu'à se fâcher quand il trouvait les bandes rompues, ce qui faisait que les autres habitués, privés des organes de l'opinion, demeuraient jusqu'au dîner ignorants comme des carpes en matière politique. La société Bosquet savait à peine les noms des membres du dernier cabinet.

M. Rodolphe avait même obligé le café de s'abonner au *Castor,*[3] dont il était rédacteur en chef. Le maître de l'établissement s'y était d'abord refusé; mais comme M. Rodolphe et sa compagnie appelaient tous les quarts d'heure le garçon, et criaient à haute voix: « *Le Castor!* apportez-nous *le Castor!* » quelques autres abonnés, dont la curiosité était excitée par ces demandes acharnées, demandèrent aussi *le Castor.* On prit donc un abonnement au *Castor,* journal de la chapellerie, qui paraissait tous les mois, orné d'une vignette et d'un article de philosophie en *Variétés,* par Gustave Colline.

2° Ledit M. Colline et son ami M. Rodolphe se délassaient des travaux de l'intelligence en jouant au trictrac depuis dix heures du matin jusqu'à minuit; et comme l'établissement ne possédait qu'une seule table de trictrac, les autres personnes se trouvaient lésées dans leur passion pour ce jeu par l'accaparement de ces messieurs, qui chaque fois qu'on venait le leur demander, se bornaient à répondre:

—Le trictrac est en lecture; qu'on repasse demain.

La société Bosquet se trouvait donc réduite à se raconter ses premières amours ou à jouer au piquet.

3° M. Marcel, oubliant qu'un café est un lieu public,

s'est permis d'y transporter son chevalet, sa boîte à peindre et tous les instruments de son art. Il pousse même l'inconvenance jusqu'à appeler des modèles de sexes divers.

Ce qui peut affliger les mœurs de la société Bosquet.

4° Suivant l'exemple de son ami, M. Schaunard parle de transporter son piano dans le café, et n'a pas craint d'y faire chanter en chœur un motif tiré de sa symphonie: *l'Influence du bleu dans les arts.* M. Schaunard a été plus loin, il a glissé dans la lanterne qui sert d'enseigne au café, un transparent sur lequel on lit:

COURS GRATUIT DE MUSIQUE VOCALE ET INSTRUMENTALE,
A L'USAGE DES DEUX SEXES.

S'adresser au comptoir.

Ce qui fait que ledit comptoir est tous les soirs encombré de personnes d'une mise négligée, qui viennent s'informer *par où qu'on passe.*

En outre, M. Schaunard y donne des rendez-vous à une dame qui s'appelle Phémie Teinturière, et qui a toujours oublié son bonnet.

Aussi M. Bosquet le jeune a-t-il déclaré qu'il ne mettrait plus les pieds dans un établissement où l'on outrageait ainsi la nature.

5° Non contents de ne faire qu'une consommation très modérée, ces messieurs ont essayé de la modérer davantage. Sous prétexte qu'ils ont surpris le moka de l'établissement en adultère avec de la chicorée, ils ont apporté un filtre à esprit-de-vin, et rédigent eux-mêmes leur café, qu'ils édulcorent avec du sucre acquis au dehors à bas prix, ce qui est une insulte faite au laboratoire.

6° Corrumpu par les discours de ces messieurs, le garçon

Bergami[4] (ainsi nommé à cause de ses favoris), oubliant son humble naissance et bravant toute retenue, s'est permis d'adresser à la dame de comptoir une pièce de vers dans laquelle il l'excite à l'oubli de ses devoirs de mère et d'épouse; au désordre de son style on a reconnu que cette lettre avait été écrite sous l'influence pernicieuse de M. Rodolphe et de sa littérature.

En conséquence, et malgré le regret qu'il éprouve, le directeur de l'établissement se voit dans la nécessité de prier la société Colline de choisir un autre endroit pour y établir ses conférences révolutionnaires.

Gustave Colline, qui était le Cicéron de la bande, prit la parole, et, *à priori,* prouva au maître du café que ses doléances étaient ridicules et mal fondées; qu'on lui faisait grand honneur en choisissant son établissement pour en faire un foyer d'intelligence; que son départ et celui de ses amis causeraient la ruine de sa maison, élevée par leur présence à la hauteur de café artistique et littéraire.

—Mais, dit le maître du café, vous et ceux qui viennent vous voir, vous consommez si peu.

—Cette sobriété dont vous vous plaignez est un argument en faveur de nos mœurs, répliqua Colline. Au reste, il ne tient qu'à vous que nous fassions une dépense plus considérable; il suffira de nous ouvrir un compte.

Bref, Colline acheva de l'enferrer complétement dans les replis de son éloquence insidieuse, et tout s'arrangea sur la promesse que les quatre amis ne feraient plus leur café eux-mêmes, que l'établissement recevrait désormais *le Castor* gratis, que Phémie Teinturière mettrait un bonnet; que le trictrac serait abandonné à la société Bosquet, tous les dimanches de midi à deux heures, et surtout qu'on ne demanderait pas de nouveaux crédits.

Tout alla bien pendant quelques jours.

La veille de Noël, les quatre amis arrivèrent au café accompagnés de leurs épouses.

Il y avait mademoiselle Musette, mademoiselle Mimi, la nouvelle maîtresse de Rodolphe, une adorable créature dont la voix bruyante avait l'éclat des cymbales, et Phémie Teinturière, l'idole de Schaunard. Ce soir-là, Phémie Teinturière avait un bonnet. Quant à mademoiselle Colline, qu'on ne voyait jamais, elle était comme toujours restée chez elle, occupée à mettre des virgules aux manuscrits de nos époux. Après le café, qui fut, par extraordinaire, escorté d'un bataillon de petits verres, on demanda du punch. Peu habitué à ces grandes manières, le garçon se fit répéter deux fois l'ordre. Phémie, qui n'avait jamais été au café, paraissait extasiée et ravie de boire dans des verres à patte. Marcel disputait Musette à propos d'un chapeau neuf dont il suspectait l'origine. Mimi et Rodolphe, encore dans la lune de miel de leur ménage, avaient ensemble une causerie muette alternée d'étranges sonorités. Quant à Colline, il allait de femme en femme égrener avec une bouche en cœur toutes les galantes verroteries de style ramassées dans la collection de l'*Almanach des Muses*.[5]

Pendant que cette joyeuse compagnie se livrait ainsi aux jeux et aux ris, un personnage étranger, assis au fond de la salle à une table isolée, observait le spectacle animé qui se passait devant lui avec des yeux dont le regard était étrange.

Depuis quinze jours environ, il venait ainsi tous les soirs: c'était de tous les consommateurs le seul qui avait pu résister au vacarme effroyable que faisaient les bohémiens. Les scies les plus farouches l'avaient trouvé inébranlable, il restait là toute la soirée, fumant sa pipe avec une régularité mathématique, les yeux fixes comme s'il gardait un trésor, et l'oreille ouverte à tout ce qui se disait autour de lui. Au demeurant, il paraissait doux et aisé, car il possédait une montre retenue en esclavage dans sa poche par une chaîne d'or. Et un jour que Marcel s'était rencontré avec lui au comptoir, il l'avait surpris changeant un louis pour payer sa consommation. Dès ce moment, les quatre amis le désignèrent sous le nom du *capitaliste*. 5

Tout à coup Schaunard, qui avait la vue excellente, fit remarquer que les verres étaient vides.

—Parbleu! dit Rodolphe, c'est aujourd'hui le réveillon; nous sommes tous bons chrétiens, il faut faire un extra. 10

—Ma foi oui, fit Marcel; demandons des choses surnaturelles.

—Colline, ajouta Rodolphe, sonne un peu le garçon.

Colline agita la sonnette avec frénésie.

—Qu'allons-nous prendre? dit Marcel. 15

Colline se courba en deux comme un arc et dit en montrant les femmes:

—C'est à ces dames qu'il appartient de régler l'ordre et la marche des rafraîchissements.

—Moi, dit Musette en faisant claquer sa bouche, je ne craindrais pas du champagne. 20

—Es-tu folle? exclama Marcel, du champagne, ce n'est pas du vin, d'abord.

—Tant pis, j'aime ça, ça fait du bruit.

—Moi, dit Mimi, en câlinant Rodolphe d'un regard, j'aime mieux du *beaune*, dans un petit panier. 25

—Perds-tu la tête? fit Rodolphe.

—Non, je veux la perdre, répondit Mimi, sur qui le beaune exerçait une influence particulière. Son amant fut foudroyé par ce mot. 30

—Moi, dit Phémie Teinturière, en se faisant rebondir sur l'élastique divan, je voudrais bien du *parfait amour*. C'est bon pour l'estomac.

Schaunard articula d'une voix nasale quelques mots qui firent tressaillir Phémie sur sa base.

—Ah! ah! dit le premier Marcel, faisons pour cent mille francs de dépense, une fois par hasard.

5 —Et puis, ajouta Rodolphe, le comptoir se plaint qu'on ne consomme pas assez. Il faut le plonger dans l'étonnement.

—Oui, dit Colline, livrons-nous à un festin splendide: d'ailleurs nous devons à ces dames l'obéissance la plus passive, l'amour vit de dévouement, le vin est le jus du plaisir, 10 le plaisir est le devoir de la jeunesse, les femmes sont des fleurs, on doit les arroser. Arrosons! Garçon! garçon!

Et Colline se pendit au cordon de sonnette avec une agitation fiévreuse.

Le garçon arriva rapide comme les aquilons.

15 Quand il entendit parler de champagne, et de beaune, et de liqueurs diverses, sa physionomie exécuta toutes les gammes de la surprise.

—J'ai des trous dans l'estomac, dit Mimi, je prendrais bien du jambon.

20 —Et moi des sardines et du beurre, ajouta Musette.

—Et moi des radis, fit Phémie, avec un peu de viande autour . . .

—Dites donc tout de suite que vous voulez souper, alors, reprit Marcel.

25 —Ça nous irait assez, reprirent les femmes.

—Garçon! montez-nous ce qu'il faut pour souper, dit Colline gravement.

Le garçon était devenu tricolore à force de surprise.

Il descendit lentement au comptoir, et fit part au maître 30 du café des choses extraordinaires qu'on venait de lui demander.

Le cafetier crut que c'était une plaisanterie, mais à un nouvel appel de la sonnette, il monta lui-même et s'adressa à Colline, pour qui il avait une certaine estime. Colline lui expliqua qu'on désirait célébrer chez lui la solennité du réveillon, et qu'il voulût bien faire servir ce qu'on lui avait demandé.

Le cafetier ne répondit rien, il s'en alla à reculons en faisant des nœuds à sa serviette. Pendant un quart d'heure il se consulta avec sa femme, et, grâce à l'éducation libérale qu'elle avait reçue à Saint-Denis,[6] cette dame, qui avait un faible pour les beaux-arts et les belles-lettres, engagea son époux à faire servir le souper.

—Au fait, dit le cafetier, ils peuvent bien avoir de l'argent, une fois par hasard. Et il donna ordre au garçon de monter en haut tout ce qu'on lui demandait. Puis il s'abîma dans une partie de piquet avec un vieil abonné. Fatale imprudence!

Depuis dix heures jusqu'à minuit le garçon ne fit que monter et descendre les escaliers. A chaque instant on lui demandait des suppléments. Musette se faisait servir à l'anglaise et changeait de couvert à chaque bouchée; Mimi buvait de tous les vins dans tous les verres; Schaunard avait dans le gosier un Sahara inaltérable; Colline exécutait des feux croisés avec ses yeux, tout en coupant sa serviette avec ses dents. Quant à Marcel et Rodolphe, ils ne quittaient point les étriers du sang-froid, et voyaient, non sans inquiétude, arriver l'heure du dénoûment.

Le personnage étranger considérait cette scène avec une curiosité grave; de temps en temps on voyait sa bouche s'ouvrir comme pour un sourire; puis on entendait un bruit pareil à celui d'une fenêtre qui se grince en se fermant. C'était l'étranger qui riait en dedans.

A minuit moins un quart, la dame du comptoir envoya l'addition. Elle atteignait des hauteurs exagérées, 25 fr. 75 c.

—Voyons, dit Marcel, nous allons tirer au sort quel sera celui qui ira parlementer avec le cafetier. Ça va être grave.

On prit un jeu de dominos et on tira au plus gros dé.[7]

Le sort désigna malheureusement Schaunard comme plénipotentiaire. Schaunard était excellent virtuose, mais mauvais diplomate. Il arriva justement au comptoir comme le cafetier venait de perdre avec son vieil habitué. Fléchissant sous la honte de trois capotes, Momus était d'une humeur massacrante, et, aux premières ouvertures de Schaunard, il entra dans une violente colère. Schaunard était bon musicien, mais il avait un caractère déplorable. Il répondit par des insolences à double détente. La querelle s'envenima, et le cafetier monta en haut signifier qu'on eût à le payer sans quoi l'on ne sortirait pas. Colline essaya d'intervenir avec son éloquence modérée, mais en apercevant une serviette avec laquelle Colline avait fait de la charpie, la colère du cafetier redoubla, et pour se garantir, il osa même porter une main profane sur le paletot noisette du philosophe et sur les pelisses des dames.

Un feu de peloton d'injures s'engagea entre les bohémiens et le maître de l'établissement.

Les trois femmes parlaient amourettes et chiffons.

Le personnage étranger se dérangeait de son impassibilité; peu à peu il s'était levé, avait fait un pas, puis deux et marchait comme une personne naturelle; il s'avança près du cafetier, le prit à part et lui parla tout bas. Rodolphe et Marcel le suivaient du regard. Le cafetier sortit enfin en disant à l'étranger:

—Certainement que je consens, monsieur Barbemuche, certainement; arrangez-vous avec eux.

M. Barbemuche retourna à sa table pour prendre son chapeau, le mit sur sa tête, fit une conversion à droite, et, en trois pas, arriva près de Rodolphe et de Marcel, ôta son chapeau, s'inclina devant les hommes, envoya un salut aux dames, tira son mouchoir, se moucha, et prit la parole d'une voix timide:

—Pardon, Messieurs, de l'indiscrétion que je vais commettre, dit-il. Il y a longtemps que je brûle du désir de faire votre connaissance, mais je n'avais pas trouvé jusqu'ici d'occasion favorable pour me mettre en rapport avec vous. Me permettez-vous de saisir celle qui se présente aujourd'hui?

—Certainement, certainement, fit Colline qui voyait venir l'étranger.

Rodolphe et Marcel saluèrent sans rien dire.

La délicatesse trop exquise de Schaunard faillit tout perdre.

—Permettez, Monsieur, dit-il avec vivacité, vous n'avez pas l'honneur de nous connaître, et les convenances s'opposent à ce que . . . Auriez-vous la bonté de me donner une pipe de tabac . . . Du reste, je serai de l'avis de mes amis . . .

—Messieurs, reprit Barbemuche, je suis comme vous un disciple des beaux-arts. Autant que j'ai pu m'en apercevoir en vous entendant causer, nos goûts sont les mêmes, j'ai le plus vif désir d'être de vos amis et de pouvoir vous retrouver ici chaque soir . . . Le propriétaire de cet établissement est un brutal, mais je lui ai dit deux mots, et vous êtes libres de vous retirer . . . J'ose espérer que vous ne me refuserez pas les moyens de vous retrouver en ces lieux, en acceptant le léger service que . . .

La rougeur de l'indignation monta au visage de Schaunard.

—Il spécule sur notre situation, dit-il, nous ne pouvons pas accepter. Il a payé notre addition: je vais lui jouer les vingt-cinq francs au billard, et je lui rendrai des points.

Barbemuche accepta la proposition et eut le bon esprit de

perdre; mais ce beau trait lui gagna l'estime de la Bohème.

On se quitta en se donnant rendez-vous pour le lendemain.

—Comme ça, disait Schaunard à Marcel, nous ne lui devons rien; notre dignité est sauvegardée.

5 —Et nous pouvons presque exiger un nouveau souper, ajouta Colline.

VII

LE PASSAGE DE LA MER ROUGE

DEPUIS cinq ou six ans, Marcel travaillait à ce fameux tableau qu'il affirmait devoir représenter le passage de la mer Rouge et, depuis cinq ou six ans, ce chef-d'œuvre de couleur était refusé avec obstination par le jury.[1] Aussi, à force d'aller et de revenir de l'atelier de l'artiste au Musée,[2] et du Musée à l'atelier, le tableau connaissait si bien le chemin, que, si on l'eût placé sur des roulettes, il eût été en état de se rendre tout seul au Louvre. Marcel, qui avait refait dix fois, et du haut en bas remanié cette toile, attribuait à une hostilité personnelle des membres du jury l'ostracisme qui le repoussait annuellement du salon carré; et, dans ses moments perdus, il avait composé en l'honneur des cerbères de l'Institut[3] un petit dictionnaire d'injures, avec des illustrations d'une férocité aiguë. Ce recueil, devenu célèbre, avait obtenu dans les ateliers et à l'école des Beaux-Arts[4] le succès populaire qui s'est attaché à l'immortelle complainte de Jean Bélin,[5] peintre ordinaire du grand sultan des Turcs; tous les rapins de Paris en avaient un exemplaire dans leur mémoire.

Pendant longtemps, Marcel ne s'était pas découragé des refus acharnés qui l'accueillaient à chaque exposition. Il s'était confortablement assis dans cette opinion que son tableau était, dans des proportions moindres, le pendant attendu par les *Noces de Cana*,[6] ce gigantesque chef-d'œuvre dont la poussière de trois siècles n'a pu ternir l'éclatante

splendeur. Aussi, chaque année, à l'époque du Salon, Marcel envoyait son tableau à l'examen du jury. Seulement, pour dérouter les examinateurs et tâcher de les faire faillir dans le parti pris d'exclusion qu'ils paraissaient avoir envers le
5 *Passage de la mer Rouge,* Marcel, sans rien déranger à la composition générale, modifiait quelque détail et changeait le titre de son tableau.

Ainsi, une fois il arriva devant le jury sous le nom de *Passage du Rubicon;* mais Pharaon, mal déguisé sous le
10 manteau de César, fut reconnu et repoussé avec tous les honneurs qui lui étaient dus.

L'année suivante, Marcel jeta sur un des plans de sa toile une couche de blanc simulant la neige, planta un sapin dans un coin, et habillant un Égyptien en grenadier de la garde
15 impériale, baptisa son tableau: *Passage de la Bérésina.*

Le jury, qui avait ce jour-là récuré ses lunettes sur le parement de son habit à palmes vertes, ne fut point dupe de cette nouvelle ruse. Il reconnut parfaitement la toile obstinée, surtout à un grand diable de cheval multicolore
20 qui se cabrait au bout d'une vague de la mer Rouge. La robe de ce cheval servait à Marcel pour toutes ses expériences de coloris, et dans son langage familier, il l'appelait tableau synoptique des *tons fins,* parce qu'il reproduisait, avec leurs jeux d'ombre et de lumière, toutes les combinai-
25 sons les plus variées de la couleur. Mais une fois encore, insensible à ce détail, le jury n'eut pas assez de boules noires pour refuser le *Passage de la Bérésina.*

—Très bien, dit Marcel, je m'y attendais. L'année prochaine je le renverrai sous le titre de: *Passage des*
30 *Panoramas.*[7]

—Ils seront bien attrapés . . . trapés . . . attrape . . . trape . . . chantonna le musicien Schaunard sur un air nouveau de sa composition, un air terrible, bruyant comme une gamme de coups de tonnerre, et dont l'accompagnement était redouté de tous les pianos circonvoisins.

—Comment peuvent-ils refuser cela sans que tout le vermillon de ma mer Rouge leur monte au visage et les couvre de honte? murmurait Marcel en contemplant son tableau . . . Quand on pense qu'il y a là-dedans pour cent écus de couleur et pour un million de génie, sans compter ma belle jeunesse, devenue chauve comme mon feutre. Une œuvre sérieuse qui ouvre de nouveaux horizons à la science des *glacis*. Mais ils n'auront pas le dernier; jusqu'à mon dernier soupir, je leur enverrai mon tableau. Je veux qu'il se grave dans leur mémoire.

—C'est la plus sure manière de le faire jamais graver,[8] dit Gustave Colline d'une voix plaintive; et en lui-même il ajouta: Il est très joli, celui-là,[9] très joli . . . je le répéterai dans les sociétés.

Marcel continuait ses imprécations, que Schaunard continuait à mettre en musique.

—Ah! ils ne veulent pas me recevoir, disait Marcel. Ah! le gouvernement les paye, les loge et leur donne la croix, uniquement dans le seul but de me refuser une fois par an, le premier mars, une toile de cent sur châssis à clef[10] . . . Je vois distinctement leur idée, je la vois très distinctement; ils veulent me faire briser mes pinceaux. Ils espèrent peut-être, en me refusant ma *Mer Rouge*, que je vais me jeter dedans par la fenêtre du désespoir. Mais ils connaissent bien mal mon cœur humain, s'ils comptent me prendre à cette ruse grossière. Je n'attendrai même plus l'époque du Salon. A compter d'aujourd'hui, mon œuvre devient le tableau de Damoclès[11] éternellement suspendu sur leur existence. Maintenant, je vais une fois par semaine l'envoyer chez chacun d'eux, à domicile, au sein de leur famille, au plein cœur de la vie privée. Il troublera leurs joies domestiques, il leur fera trouver le vin sur, le rôti brûlé, et leurs épouses amères. Ils deviendront fous très rapidement et on leur mettra la camisole de force pour aller à l'Institut, les jours de séance. Cette idée me sourit.

5 Quelques jours après, et comme Marcel avait déjà oublié ses terribles plans de vengeance contre ses persécuteurs, il reçut la visite du père *Médicis*. On appelait ainsi dans le cénacle un juif nommé Salomon et qui, à cette époque, était très connu de toute la Bohème artistique et littéraire, avec 10 qui il était en perpétuels rapports. Le père Médicis négociait dans tous les genres de bric-à-brac. Il vendait des mobiliers complets depuis *douze* francs jusqu'à mille ecus. Il achetait tout et savait le revendre avec bénéfice. La banque d'échange de M. Proudhon [12] est bien peu de chose 15 comparée au système appliqué par Médicis, qui possédait le génie du trafic à un degré auquel les plus habiles de sa religion n'étaient point arrivés jusque-là. Sa boutique, située place du Carrousel, était un lieu féerique où l'on trouvait toute chose à souhait. Tous les produits de la nature, toutes 20 les créations de l'art, tout ce qui sort des entrailles de la terre et du génie humain, Médicis en faisait un objet de négoce. Son commerce touchait à tout, absolument à tout ce qui existe, il travaillait même dans l'*idéal*. Médicis achetait des IDÉES pour les exploiter lui-même ou les revendre. 25 Connu de tous les littérateurs et de tous les artistes, intime de la palette et familier de l'écritoire, c'était l'Asmodée [13] des arts. Il vous vendait des cigares contre un plan de feuilleton, des pantoufles contre un sonnet, de la marée fraîche contre des paradoxes; il causait *à l'heure* avec les écrivains 30 chargés de raconter dans les gazettes les cancans du monde; il vous procurait des places dans les tribunes des parlements, et des invitations pour les soirées particulières; il logeait à la nuit, à la semaine ou au mois les rapins errants, qui le

payaient en copies faites au Louvre d'après les maîtres. Les coulisses n'avaient point de mystères pour lui. Il vous faisait recevoir des pièces dans les théâtres; il vous obtenait des tours de faveur. Il avait dans la tête un exemplaire de l'Almanach des vingt-cinq mille adresses,[14] et connaissait la demeure, les noms et les secrets de toutes les célébrités, même obscures. 5

Quelques pages copiées dans le *brouillard* de sa tenue de livres pourront, mieux que toutes les explications les plus détaillées, donner une idée de l'universalité de son commerce.[15] 10

—Vendu à M. L. . . . , antiquaire, le compas dont Archimède [16] s'est servi pendant le siége de Syracuse, 75 fr.

—Acheté à M. V. . . . , journaliste, les œuvres complètes, non coupées,[17] de M. ***, membre de l'Académie, 10 fr. 15

—Vendu au même un article de critique sur les œuvres complètes de M. ***, membre de l'Académie, 30 fr.

—Vendu à M. ***, membre de l'Académie, un feuilleton de douze colonnes sur ses œuvres complètes, 250 fr.

—Acheté à M. R. . . . , homme de lettres, une appréciation critique sur les œuvres complètes de M. ***, de l'Académie française, 10 fr.; plus 50 livres de charbon de terre et 2 kilog. de café. 20

—Vendu à M. *** un vase en porcelaine ayant appartenu à madame du Barry,[18] 18 fr. 25

—Acheté à la petite D . . . ses cheveux, 15 fr.

—Acheté à M. B. . . . un lot d'articles de mœurs et les trois dernières fautes d'orthographe faites par M. le préfet de la Seine,[19] 6 fr.; plus une paire de souliers napolitains.

—Vendu à mademoiselle O. . . . une chevelure blonde, 120 fr. 30

—Acheté à M. M. . . , peintre d'histoire, une série de dessins gais, 25 fr.

—Vendu à M. Isidore son portrait en Apollon, 30 fr.

—Vendu à mademoiselle R. . . . une paire de homards et six paires de gants, 36 fr. (Reçu 2 fr. 75 c.)

—A la même, procuré un crédit de six mois chez ma-
5 dame ***, modiste. (Prix à débattre.)

—Procuré à madame ***, modiste, la clientèle de mademoiselle R. . . . (Reçu pour ce [20] trois mètres de velours et six aunes de dentelle.)

—Acheté à M. R. . . . , homme de lettres, une créance de
10 120 fr. sur le journal ***, actuellement en liquidation, 5 fr.; plus deux livres de tabac de Moravie.

—Vendu à M. Ferdinand deux lettres d'amour, 12 fr.

—Acheté à M. J. . . . , peintre, le portrait de M. Isidore en Apollon, 6 fr.

15 —Acheté à M. *** 75 kilog. de son ouvrage intitulé *des Révolutions sous-marines,* 15 fr.

—Loué à madame la comtesse de G. . . . une service de Saxe, 20 fr.

—Acheté à M. ***, journaliste, 52 lignes dans son *Courrier*
20 *de Paris,* 100 fr.; plus une garniture de cheminée.

—Vendu à MM. O. . . . et Cie 52 lignes dans le *Courrier de Paris* de M. ***, 300 fr.; plus une garniture de cheminée.

—Acheté à M. Gustave C. . . . , un mémoire sur l'industrie linière, 50 fr.; plus une édition rare des œuvres de
25 Flavius Josèphe.

—A mademoiselle S . . . G . . . , vendu un mobilier moderne 5,000 fr.

—Pour la même, payé une note chez le pharmacien, 75 fr.

—*Id.* payé une note chez la crémière, 3 fr. 85.

30 Etc., etc., etc.

On voit, par ces citations, sur quelle immense échelle s'étendaient les opérations du juif Médicis, qui, malgré les notes un peu illicites de son commerce infiniment éclectique, n'avait jamais été inquiété par personne.

En entrant chez les bohèmes avec cet air intelligent qui le distinguait, le juif avait deviné qu'il arrivait à un moment propice. En effet, les quatre amis se trouvaient en ce moment réunis en conseil, et, sous la présidence d'un appétit féroce, dissertaient la grave question *du pain et de la viande.* C'était un dimanche! de la fin du mois. Jour fatal et quantième sinistre.

L'entrée de Médicis fut donc acclamée par un joyeux chorus; car on savait que le juif était trop avare de son temps pour le dépenser en visites de politesse; aussi sa présence annonçait-elle toujours une affaire à traiter.

—Bonsoir, Messieurs, dit le juif, comment vous va?

—Colline, dit Rodolphe, couché sur son lit et engourdi dans les douceurs de la ligne horizontale, exerce les devoirs de l'hospitalité, offre une chaise à notre hôte: un hôte est sacré. Je vous salue en Abraham, ajouta le poëte.

Colline alla prendre un fauteuil qui avait l'élasticité du bronze, et l'avança près du juif en lui disant avec une voix hospitalière:

—Supposez un instant que vous êtes Cinna,[21] et prenez ce siége.

Médicis se laissa tomber dans le fauteuil, et allait se plaindre de sa dureté, lorsqu'il se ressouvint que lui-même l'avait jadis changé avec Colline contre une profession de foi vendue à un député qui n'avait pas la corde de l'improvisation. En s'asseyant, les poches du juif résonnèrent d'un bruit argentin, et cette mélodieuse symphonie jeta les quatre bohèmes dans une rêverie pleine de douceurs.

—Voyons la chanson maintenant, dit Rodolphe tout bas à Marcel, l'accompagnement paraît joli.

—Monsieur Marcel, fit Médicis, je viens simplement faire

votre fortune. C'est-à-dire que je viens vous offrir une occasion superbe d'entrer dans le monde artistique. L'art, voyez-vous bien, monsieur Marcel, est un chemin aride dont la gloire est l'oasis.

5 —Père Médicis, dit Marcel sur les charbons de l'impatience, au nom de 50 pour cent, votre patron vénéré, soyez bref.

—Voici l'affaire, reprit Médicis. Un riche amateur qui monte une galerie destinée à faire le tour de l'Europe, m'a 10 chargé de lui procurer une série d'œuvres remarquables. Je viens vous offrir vos entrées dans ce musée. En un mot, je viens pour vous acheter votre *Passage de la mer Rouge.*

—Comptant? fit Marcel.

—Comptant, répondit le juif en faisant jouer l'orchestre 15 de ses goussets.

—L'es-tu content? [22] dit Colline.

—Décidément, fit Rodolphe furieux, il faudra se procurer une poire d'angoisse pour fermer le soupirail à sottises de ce gueux-là. Brigand, ne vois-tu pas qu'il cause d'*écus?* 20 Il n'y a donc rien de sacré pour toi, athée?

Colline monta sur un meuble et prit la pose d'Harpocrate,[23] dieu du silence.

—Continuez, Médicis, dit Marcel en montrant son tableau. Je veux vous laisser l'honneur de fixer vous-même le prix de 25 cette œuvre qui n'en a pas.

Le juif posa sur la table 50 écus en bel argent neuf.

—Après? dit Marcel, c'est l'avant-garde.

—Monsieur Marcel, dit Médicis, vous savez bien que mon premier mot est toujours mon dernier. Je n'ajouterai rien; 30 réfléchissez: 50 écus, cela fait 150 francs. C'est une somme, ça!

—Une faible somme, reprit l'artiste; rien que dans la robe de mon Pharaon, il y a pour 50 écus de cobalt. Payez-moi au moins la façon, égalisez les piles, arrondissez le chiffre et je vous appellerai Léon X,[24] Léon X *bis.*

—Voici mon dernier mot, reprit Médicis: je n'ajoute pas un sou de plus; mais j'offre à dîner a tout le monde, vins variés à discrétion, et au dessert je paye en OR. 5

Personne ne dit mot? hurla Colline en frappant trois coups de poing sur la table. Adjugé.

—Allons, dit Marcel, convenu.

—Je ferai prendre le tableau demain, fit le juif. Partons, Messieurs, le couvert est mis. 10

Les quatre amis descendirent l'escalier en chantant le chœur des *Huguenots: A table, à table!* [25]

Médicis traita les bohèmes d'une façon tout à fait magnifique. Il leur offrit une foule de choses qui jusque-là étaient restées pour eux complétement inédites. Ce fut à compter 15 de ce dîner que le homard cessa d'être un mythe pour Schaunard, et il contracta dès lors pour cet amphibie une passion qui devait aller jusqu'au délire.

Les quatre amis sortirent de ce splendide festin ivres comme un jour de vendange. Cette ivresse faillit même avoir 20 des suites déplorables pour Marcel qui, en passant devant la boutique de son tailleur, à deux heures du matin, voulait absolument éveiller son créancier pour lui donner en à-compte les 150 francs qu'il venait de recevoir. Une lueur de raison qui veillait encore dans l'esprit de Colline retint 25 l'artiste au bord de ce précipice.

Huit jours après ce festival, Marcel apprit dans quelle galérie son tableau avait pris place. En passant dans le faubourg Saint-Honoré, il s'arrêta au milieu d'un groupe qui paraissait regarder curieusement la pose d'une enseigne au- 30 dessus d'une boutique. Cette enseigne n'était autre chose que le tableau de Marcel, vendu par Médicis à un marchand de comestibles. Seulement, le *Passage de la mer Rouge*

avait encore subi une modification et portait un nouveau titre. On y avait ajouté un bateau à vapeur, et il s'appelait: *Au port de Marseille.* Une ovation flatteuse s'était élevée parmi les curieux quand on avait découvert le tableau. Aussi
5 Marcel se retourna-t-il ravi de ce triomphe, et murmura: *La voix du peuple, c'est la voix de Dieu!* [26]

Courtesy of George Barrie's Sons

LA VOIX DU PEUPLE, C'EST LA VOIX DE DIEU

VIII

LA TOILETTE DES GRACES

MADEMOISELLE MIMI, qui avait coutume de dormir la grasse matinée, se réveilla un matin sur le coup de dix heures, et parut très étonnée de ne point voir Rodolphe dans la chambre. La veille au soir, avant de s'endormir, elle l'avait pourtant vu à son bureau, se disposant à passer la nuit 5 sur un travail extra-littéraire qui venait de lui être commandé, et à l'achèvement duquel la jeune Mimi était particulièrement intéressée. En effet, sur le produit de son labeur, le poëte avait fait espérer à son amie qu'il lui achèterait une certaine robe printanière dont elle avait un 10 jour aperçu le coupon aux *Deux Magots,*[1] un magasin de nouveautés fameux, à l'étalage duquel la coquetterie de Mimi allait faire de fréquentes dévotions. Aussi, depuis que le travail en question était commencé, Mimi se préoccupait-elle avec une grande inquiétude de ses progrès. Souvent elle 15 s'approchait de Rodolphe, pendant qu'il écrivait, et, penchant la tête par-dessus son épaule, elle lui disait gravement:

—Eh bien, ma robe avance-t-elle?

—Il y a déjà une manche, sois calme, répondait Rodolphe.

Une nuit, ayant entendu Rodolphe qui faisait claquer ses 20 doigts, ce qui indiquait ordinairement qu'il était content de son labeur, Mimi cria:

—Est-ce que ma robe est finie?

—Tiens, répondit Rodolphe en allant lui montrer quatre grandes pages couvertes de lignes serrées, je viens d'achever 25 le corsage.

—Quel bonheur! fit Mimi, il ne reste plus que la jupe. Combien faut-il de pages comme ça pour faire une jupe?

—C'est selon; mais comme tu n'es pas grande, avec une dizaine de pages de cinquante lignes de trente-trois lettres nous pourrions avoir une jupe convenable.

—Je ne suis pas grande, c'est vrai, dit Mimi sérieusement; mais il ne faudrait cependant pas avoir l'air de pleurer après l'étoffe: on porte les robes très amples, et je voudrais de beaux plis pour que ça fasse *frou-frou.*

—C'est bien, répondit gravement Rodolphe, je mettrai dix lettres de plus à la ligne, et nous obtiendrons le *frou-frou.*

Et Mimi s'endormait heureuse.

Comme elle avait commis l'imprudence de parler à ses amis, mesdemoiselles Musette et Phémie, de la belle robe que Rodolphe était en train de lui faire, les deux jeunes personnes n'avaient pas manqué d'entretenir MM. Marcel et Schaunard de la générosité de leur ami envers sa maîtresse; et ces confidences avaient été suivies de provocations non équivoques à imiter l'exemple donné par le poëte.

—C'est-à-dire, ajoutait mademoiselle Musette en tirant Marcel par les moustaches, c'est-à-dire que si cela continue encore huit jours comme ça, je serai forcée de t'emprunter un pantalon pour sortir.

—Il m'est dû onze francs dans une bonne maison, répondit Marcel; si je récupère cette valeur, je la consacrerai à t'acheter une feuille de vigne à la mode.

—Et moi? demandait Phémie à Schaunard. Mon peigne *noir* (elle ne pouvait pas dire peignoir) tombe en ruine.

Schaunard tirait alors trois sous de sa poche et les donnait à sa maîtresse en lui disant:

—Voici de quoi acheter une aiguille et du fil. Raccommode ton peigne bleu, cela t'instruira en t'amusant, *utile dulci.*[2]

Néanmoins, dans un conciliabule tenu très secret, Marcel et Schaunard convinrent avec Rodolphe que chacun de son côté s'efforcerait de satisfaire la juste coquetterie de leurs maîtresses.

—Ces pauvres filles, avait dit Rodolphe, un rien les pare, mais encore faut-il qu'elles aient ce rien. Depuis quelque temps les beaux-arts et la littérature vont très bien, nous gagnons presque autant que des commissionnaires.

—Il est vrai que je ne puis pas me plaindre, interrompit Marcel: les beaux-arts se portent comme un charme, on se croirait sous le règne de Léon X.

—Au fait, fit Rodolphe, Musette m'a dit que tu partais le matin et que tu ne rentrais que le soir depuis huit jours. Est-ce que tu as vraiment de la besogne?

—Mon cher, une affaire superbe, que m'a procurée Médicis. Je fais des portraits à la caserne de *l'Ave Maria,*[3] dix-huit grenadiers qui m'ont demandé leur image à six francs l'une dans l'autre, la ressemblance garantie un an, comme les montres. J'espère avoir le régiment tout entier. C'était bien aussi mon idée de requinquer Musette quand Médicis m'aura payé, car c'est avec lui que j'ai traité et pas avec mes modèles.

—Quant à moi, fit Schaunard négligemment, sans qu'il y paraisse, j'ai deux cents francs qui dorment.

—Sacrebleu! réveillons-les, dit Rodolphe.

—Dans deux ou trois jours je compte émarger, reprit Schaunard. En sortant de la caisse, je ne vous cacherai pas que je me propose de donner un libre cours à quelques-unes de mes passions. Il y a surtout, chez le fripier d'à côté, un habit de nankin et un cor de chasse qui m'agacent l'œil depuis longtemps, je m'en ferai certainement hommage.

—Mais, demandèrent à la fois Marcel et Rodolphe, d'où espères-tu tirer ce nombreux capital?

—Écoutez, messieurs, dit Schaunard en prenant un air grave et en s'asseyant entre ses deux amis, il ne faut pas nous dissimuler aux uns et aux autres qu'avant d'être membres de l'Institut et contribuables, nous avons encore pas mal de pain de seigle à manger, et la miche quotidienne est dure à pétrir. D'un autre côté, nous ne sommes pas seuls; comme le ciel nous a créés sensibles, chacun de nous s'est choisi une chacune, à qui il a offert de partager son sort.

—Précédé d'un hareng,[4] interrompit Marcel.

—Or, continua Schaunard, tout en vivant avec la plus stricte économie, quand on ne possède rien, il est difficile de mettre de côté, surtout si l'on a toujours un appétit plus grand que son assiette.

—Où veux-tu en venir? . . . demanda Rodolphe.

—A ceci, reprit Schaunard, que, dans la situation actuelle, nous aurions tort les uns et les autres de faire les dédaigneux, lorsqu'il se présente, même en dehors de notre art, une occasion de mettre un chiffre devant le zéro qui constitue notre apport social!

—Eh bien! dit Marcel, auquel de nous peux-tu reprocher de faire le dédaigneux? Tout grand peintre que je serai un jour, n'ai-je pas consenti à consacrer mes pinceaux à la reproduction picturale de guerriers français qui me payent avec leur sou de poche? Il me semble que je ne crains pas de descendre de l'échelle de ma grandeur future.

—Et moi, reprit Rodolphe, ne sais-tu pas que depuis quinze jours je compose un poëme didactique médico-chirurgical-osanore[5] pour un dentiste célèbre qui subventionne mon inspiration à raison de quinze sous la douzaine d'alexandrins, un peu plus cher que les huîtres? . . . Cependant je n'en rougis pas; plutôt que de voir ma Muse rester les bras croisés, je lui ferais volontiers mettre le *Conducteur parisien*[6] en romance. Quand on a une lyre . . . que diable! c'est pour s'en servir . . . Et puis Mimi est altérée de bottines.

—Alors, reprit Schaunard, vous ne m'en voudrez pas quand vous saurez de quelle source est sorti le Pactole dont j'attends le débordement.

Voici quelle était l'histoire des deux cents francs de Schaunard.

Il y avait environ une quinzaine de jours, il était entré chez un éditeur de musique qui lui avait promis de lui trouver, parmi ses clients soit des leçons de piano, soit des accords.

—Parbleu! dit l'éditeur en le voyant entrer, vous arrivez à propos, on est venu justement aujourd'hui me demander un pianiste. C'est un Anglais; je crois qu'on vous payera bien . . . Êtes-vous réellement fort?

Schaunard pensa qu'une contenance modeste pourrait lui nuire dans l'esprit de son éditeur. Un musicien, et surtout un pianiste, modeste, c'est en effet chose rare. Aussi Schaunard répondit-il avec beaucoup d'aplomb:

—Je suis de première force; si j'avais seulement un poumon attaqué, de grands cheveux et un habit noir, je serais actuellement célèbre comme le soleil, et, au lieu de me demander huit cents francs pour faire graver ma partition *de la Mort de la jeune fille,* vous viendriez m'en offrir trois mille, à genoux, et dans un plat d'argent.

—Il est de fait, poursuivit l'artiste, que mes dix doigts ayant dix ans de travaux forcés sur les cinq octaves, je manipule assez agréablement l'ivoire et les dièses.

Le personnage auquel on adressait Schaunard était un Anglais nommé M. Birn'n.[7] Le musicien fut d'abord reçu

par un laquais bleu, qui le présenta à un laquais vert, qui le repassa à un laquais noir, lequel l'avait introduit dans un salon où il s'était trouvé en face d'un insulaire accroupi dans une attitude spleenatique [8] qui le faisait ressembler à
5 *Hamlet,* méditant sur le peu que nous sommes. Schaunard se disposait à expliquer le motif de sa présence, lorsque des cris perçants se firent entendre et lui coupèrent la parole. Ce bruit affreux qui déchirait les oreilles, était poussé par un perroquet exposé sur un perchoir au balcon de l'étage
10 inférieur.

—O le bête,[9] le bête! le bête! murmura l'Anglais en faisant un bond dans son fauteuil, il fera mourir moa.

Et au même instant le volatile se mit à débiter son répertoire, beaucoup plus étendu que celui des jacquots ordi-
15 naires; et Schaunard resta confondu lorsqu'il entendit l'animal, excité par une voix féminine, commencer à déclamer les premiers vers du récit de *Théramène* [10] avec les intonations du Conservatoire.

Ce perroquet était le favori d'une actrice en vogue dans
20 son boudoir. C'était une de ces femmes qui, on ne sait ni pourquoi ni comment, sont cotées des prix fous [11] sur le turf de la galanterie, et dont le nom est inscrit sur les menus des soupers de gentilshommes. De nos jours, cela pose un chrétien d'être vu avec une de ces païennes, qui souvent n'ont
25 d'antique que leur acte de naissance. Quand elles sont jolies, le mal n'est pas grand, après tout: le plus qu'on risque, c'est d'être mis sur la paille pour les avoir mises dans le palissandre.[12] Mais quand leur beauté s'achète à l'once chez les parfumeurs et ne résiste pas à trois gouttes d'eau
30 versées sur un chiffon, quand leur esprit tient dans un couplet de vaudeville, et leur talent dans le creux de la main d'un claqueur, on a peine à s'expliquer comment des gens distingués, ayant quelquefois un nom, de la raison et un habit

à la mode, se laissent emporter, par amour du lieu commun, à élever jusqu'au terre-à-terre du caprice le plus banal, des créatures dont leur Frontin ne voudrait pas faire sa Lisette.[13]

L'actrice en question était du nombre de ces beautés du jour. Elle s'appelait Dolorès et se disait Espagnole, bien qu'elle fût née dans cette Andalousie parisienne qui s'appelle la rue Coquenard. Quoiqu'il n'y ait pas dix minutes de la rue Coquenard à la rue de Provence,[14] elle avait mis sept ou huit ans à faire le chemin. Sa prospérité avait commencé au fur et à mesure de sa décadence personnelle. Ainsi, le jour où elle fit poser sa première fausse dent, elle eut un cheval, et deux chevaux le jour où elle fit poser la seconde. Actuellement elle menait grand train, logeait dans un Louvre, tenait le milieu de la chaussée les jours de Longchamp,[15] et donnait des bals où tout Paris assistait. Le tout Paris de ces dames? c'est-à-dire cette collection d'oisifs courtisans de tous les ridicules et de tous les scandales; le tout Paris joueur de lansquenet et de paradoxes, les fainéants de la tête et du bras, tueurs de leur temps et de celui des autres; les écrivains qui se font hommes de lettres pour utiliser les plumes que la nature leur a mises sur le dos; les bravi de la débauche, les gentilshommes biseautés, les chevaliers d'ordre mystérieux, toute la Bohème hantée, venue on ne sait d'où et y retournant; toutes les créatures notées et annotées; toutes les filles d'Ève qui vendaient jadis le fruit maternel sur un éventaire, et qui le débitent maintenant dans des boudoirs; toute la race corrompue, du lange au linceul, qu'on retrouve aux premières représentations avec Golconde[16] sur le front et le Thibet[17] sur les épaules, et pour qui cependant fleurissent les premières violettes du printemps et les premières amours des adolescents. Tout ce monde-là, que les *chroniques* appellent tout Paris, était reçu chez mademoiselle Dolorès, la maîtresse du perroquet en question.

Cet oiseau, que ses talents oratoires avaient rendu célèbre dans tout le quartier, était devenu peu à peu la terreur des plus proches voisins. Exposé sur le balcon, il faisait de son perchoir une tribune où il tenait, du matin jusqu'au
5 soir, des discours interminables. Quelques journalistes liés avec sa maîtresse lui ayant appris certaines formalités parlementaires, le volatile était devenu d'une force surprenante sur *la question des sucres.*[18] Il savait par cœur le répertoire de l'actrice et le déclamait de façon à pouvoir la doubler
10 elle-même en cas d'indisposition. En outre, comme celle-ci était polyglotte dans ses sentiments et recevait des visites de tous les coins du monde, le perroquet parlait toutes les langues et se livrait quelquefois dans chaque idiome à des blasphèmes qui eussent fair rougir les mariniers à qui *Vert-*
15 *Vert*[19] dut son éducation avancée. La société de cet oiseau, qui pouvait être instructive et agréable pendant dix minutes, devenait un supplice véritable quand elle se prolongeait. Les voisins s'étaient plaints plusieurs fois; mais l'actrice les avait insolemment renvoyés des fins de leur plainte.
20 Deux ou trois locataires, honnêtes pères de famille, indignés des mœurs relâchées auxquelles les indiscrétions du perroquet les initaient, avaient même donné congé au propriétaire, que l'actrice avait su prendre par son faible.

L'Anglais chez lequel nous avons vu entrer Schaunard
25 avait pris patience pendant trois mois.

Un jour, il déguisa sa fureur, qui venait d'éclater, sous un grand costume d'apparat; et tel qu'il se fût présenté chez la reine Victoria un jour de baisemain, à Windsor, il se fit annoncer chez mademoiselle Dolorès.

30 En le voyant entrer, celle-ci pensa d'abord que c'était *Hoffmann*[20] dans son costume de *lord Spleen;* et, voulant faire bon accueil à un camarade, elle lui offrit à déjeuner. L'Anglais lui répondit gravement dans un français en vingt-

cinq leçons que lui avait appris un réfugié espagnol.

—Je acceptai votre invitation, à la condition que nous mangerons cet oiseau . . . désagréable, et il désignait la cage du perroquet, qui, ayant déjà flairé un insulaire, l'avait salué en fredonnant le *God save the king*. 5

Dolorès pensa que l'Anglais, son voisin, était venu pour se moquer d'elle, et se disposait à se fâcher, quand celui-ci ajouta:

—Comme je étais fort riche, je mettrais le prix à le bête.

Dolorès répondit qu'elle tenait à son oiseau, et qu'elle ne 10 voulait pas le voir passer entre les mains d'un autre.

—Oh! ce n'était pas dans mes mains que je voulais le mettre, répondit l'Anglais; c'est dessous mes pieds! et il montrait le talon de ses bottes.

Dolorès frémit d'indignation et allait s'emporter peut- 15 être, lorsqu'elle aperçut au doigt de l'Anglais, une bague dont le diamant représentait peut-être deux mille cinq cents francs de rentes. Cette découverte fut comme une douche tombée sur sa colère. Elle réfléchit qu'il était peut-être imprudent de se fâcher avec un homme qui avait cinquante 20 mille francs à son petit doigt.

—Eh bien, Monsieur, lui dit-elle, puisque ce pauvre Coco vous ennuie, je le mettrai sur le derrière; de cette façon, vous ne pourrez plus l'entendre.

L'Anglais se borna à faire un geste de satisfaction. 25

—Cependant, ajouta-t-il en montrant ses bottes, je aurais beaucoup préféré. . . .

—Soyez sans crainte, fit Dolorès; à l'endroit où je le mettrai, il lui sera impossible de troubler milord.

—Oh! j'étais pas milord . . . j'étais seulement esquire. 30

Mais au moment même où M. Birn'n se disposait à se retirer après l'avoir saluée avec une inclination très modeste, Dolorès, qui ne négligeait en aucune façon ses intérêts, prit un petit paquet déposé sur un guéridon, et dit à l'Anglais:

—Monsieur, on donne ce soir au théâtre de . . . une représentation à mon bénéfice,[21] et je dois jouer dans trois pièces. Voudriez-vous me permettre de vous offrir quelques coupons de loges? le prix des places n'a été que peu augmenté.

Et elle mit une dizaine de loges entre les mains de l'insulaire.

—Après m'être montrée aussi prompte à lui être agréable, pensait-elle intérieurement, s'il est un homme bien élevé, il est impossible qu'il me refuse; et, s'il me voit jouer avec mon costume rose, qui sait? entre voisins! le diamant qu'il porte au doigt est l'avant-garde d'un million. Ma foi, il est bien laid, il est bien triste, mais ça me fournira une occasion d'aller à Londres sans avoir le mal de mer.

L'Anglais, après avoir pris les billets, se fit expliquer une seconde fois l'usage auquel ils étaient destinés, puis il demanda le prix.

—Les loges sont à soixante francs, il y en a dix . . . Mais cela n'est pas pressé, ajouta Dolorès en voyant l'Anglais qui se disposait à prendre son portefeuille; j'espère qu'en qualité de voisin vous voudrez bien, de temps en temps, me faire l'honneur d'une petite visite.

M. Birn'n répondit:

—Je n'aimai point à faire les affaires à terme; et, ayant tiré un billet de mille francs, le mit sur la table et glissa les coupons de loges dans sa poche.

—Je vais vous rendre, fit Dolorès en ouvrant un petit meuble où elle serrait son argent.

—Oh! non, dit l'Anglais, ce était pour boire,[22] et il sortit en laissant Dolorès foudroyée par ce mot.

—Pour boire! s'écria-t-elle en se trouvant seule. Quel butor! Je vais lui renvoyer son argent.

Mais cette grossièreté de son voisin avait seulement irrité l'épiderme de son amour-propre; la réflexion la calma; elle pensa que vingt louis de *boni* faisaient après tout un joli *banco,* et qu'elle avait jadis supporté des impertinences à meilleur marché.

—Ah bah! se dit-elle, faut pas être si fière. Personne ne m'a vue, et c'est aujourd'hui le mois de ma blanchisseuse. Après ça, cet Anglais manie si mal la langue, qu'il a cru peut-être me faire un compliment.

Et Dolorès empocha gaiement ses vingt louis.

Mais le soir, après le spectacle, elle rentra chez elle furieuse. M. Birn'n n'avait point fait usage des billets, et les dix loges étaient restées vides.

Aussi, en entrant en scène à minuit et demi, l'infortunée bénéficiaire lisait-elle sur le visage de ses *amies* de coulisses la joie que celles-ci éprouvaient en voyant la salle si pauvrement garnie.

Elle entendit même une actrice de ses amies dire à une autre, en montrant les belles loges du théâtre inoccupées.

—Cette pauvre Dolorès n'a *fait* qu'une avant-scène! [23]

—Les loges sont à peine garnies.

—L'orchestre est vide.

—Parbleu! quand on voit son nom sur l'affiche, cela produit, dans la salle, l'effet d'une machine pneumatique.

—Aussi, quelle idée d'augmenter le prix des places! Un beau bénéfice. Je parierais que la recette tient dans une tirelire ou dans le fond d'un bas.

—Ah! voilà son fameux costume à coques de velours rouge. . . .

—Elle a l'air d'un buisson d'écrevisses.

—Combien as-tu fait à ton dernier bénéfice? demanda l'une des actrices à sa compagne.

—Comble, ma chère, et c'était jour de *première;* les tabourets valaient un louis. Mais je n'ai touché que six francs: ma marchande de modes a pris le reste. Si je n'avais pas si peur des engelures, j'irais à Saint-Pétersbourg.

—Comment! tu n'as pas encore trente ans et tu songes déjà à *faire* ta Russie?

—Que veux-tu! fit l'autre; et elle ajouta: Et toi, est-ce bientôt ton *bénéf?*

—Dans quinze jours. J'ai déjà mille écus de coupons de pris,[24] sans compter mes saint-cyriens.

—Tiens! tout l'orchestre s'en va.

—C'est Dolorès qui chante.

En effet, Dolorès, pourprée comme son costume, cadençait son couplet au verjus. Comme elle l'achevait à grand'-peine, deux bouquets tombaient à ses pieds, lancés par la main des deux actrices ses bonnes amies, qui s'avancèrent sur le bord de leur baignoire, en criant:

—Bravo, Dolorès!

On s'imaginera facilement la fureur de celle-ci. Aussi, en rentrant chez elle, bien qu'on fût au milieu de la nuit, elle ouvrit la fenêtre et réveilla Coco, qui réveilla l'honnête M. Birn'n, endormi sous la foi de la parole donnée.

A compter de ce jour, le guerre avait été déclarée entre l'actrice et l'Anglais: guerre à outrance, sans repos ni trêve, dans laquelle les adversaires engagés ne reculeraient devant aucuns frais. Le perroquet, éduqué en conséquence, avait approfondi l'étude de la langue d'Albion, et proférait toute la journée des injures contre son voisin, dans son fausset le plus aigu. C'était, en vérité, quelque chose d'intolérable. Dolorès en souffrait elle-même, mais elle espérait que, d'un jour à l'autre, M. Birn'n donnerait congé; c'était là où elle plaçait son amour-propre. L'insulaire, de son côté, avait inventé toutes sortes de magies pour se venger. Il avait d'abord fondé une école de tambours dans son salon, mais le commissaire de police était intervenu. M. Birn'n, de plus en plus ingénieux, avait alors établi un tir au pistolet; 5 ses domestiques criblaient cinquante cartons par jour. Le commissaire intervint encore, et lui fit exhiber un article du code municipal qui interdit l'usage des armes à feu dans les maisons. M. Birn'n cessa le feu. Mais huit jours après, mademoiselle Dolorès s'aperçut qu'il pleuvait dans ses ap- 10 partements. Le propriétaire vint rendre visite à M. Birn'n, qu'il trouva en train de prendre les bains de mer dans son salon. En effet, cette pièce, fort grande, avait été revêtue sur tous les murs de feuilles de métal; toutes les portes avaient été condamnées; et, dans ce bassin improvisé, on 15 avait mêlé dans une centaine de voies d'eau une cinquantaine de quintaux de sel. C'était une véritable réduction de l'Océan. Rien n'y manquait, pas même les poissons. On y descendait par une ouverture pratiquée dans le panneau supérieur de la porte du milieu, et M. Birn'n s'y baignait 20 quotidiennement. Au bout de quelque temps, on sentait la marée dans le quartier, et mademoiselle Dolorès avait un demi-pouce d'eau dans sa chambre à coucher.

Le propriétaire devint furieux, et menaça M. Birn'n de lui faire un procès en dédommagement des dégâts causés 25 dans son immeuble.

—Est-ce que je avais pas le droit, demanda l'Anglais, de me baigner chez moi?

—Non, monsieur.

—Si je avais pas le droit, c'est bien, dit l'Anglais plein 30 de respect pour la loi [25] du pays où il vivait. C'est dommage, je amusais beaucoup moa.

Et le soir même il donna des ordres pour qu'on fît écouler

son Océan. Il n'était que temps: il y avait déjà un banc d'huîtres sur le parquet.

Cependant M. Birn'n n'avait pas renoncé à la lutte, et cherchait un moyen légal de continuer cette guerre singulière, 5 qui faisait les délices de tout Paris oisif; car l'aventure avait été répandue dans les foyers du théâtre et autres lieux de publicité. Aussi Dolorès tenait-elle à honneur de sortir triomphante de cette lutte, à propos de laquelle des paris étaient engagés.

10 Ce fut alors que M. Birn'n avait imaginé le piano. Et ce n'était point si mal imaginé: le plus désagréable des instruments était de force à lutter contre le plus désagréable des volatiles. Aussi, dès que cette bonne idée lui était venue, s'était-il dépêché de la mettre à exécution. Il avait loué 15 un piano, et il avait demandé un pianiste. Le pianiste, on se le rappelle, était notre ami Schaunard. L'Anglais lui raconta familièrement ses doléances à cause du perroquet de la voisine, et tout ce qu'il avait fait déjà pour tâcher d'amener l'actrice à composition.

20 —Mais milord, dit Schaunard, il y a un moyen de vous débarrasser de cette bête: c'est le persil. Tous les chimistes n'ont qu'un cri pour déclarer que cette plante potagère est l'acide prussique de ces animaux; faites hâcher du persil sur vos tapis, et faites-les secouer par la fenêtre sur la cage 25 de *Coco:* il expirera absolument comme s'il avait été invité à dîner par le pape Alexandre VI.[26]

—J'y ai pensé, mais le bête est gardée, répondit l'Anglais; le piano est plus sûr.

Schaunard regarda l'Anglais, et ne comprit pas tout 30 d'abord.

—Voici ce que je avais combiné, reprit l'Anglais. La comédienne et son bête dormaient jusqu'à midi. Suivez bien mon raisonnement . . .

—Je avais entrepris de lui troubler le sommeil. La loi de ce pays me autorise à faire de la musique depuis le matin jusqu'au soir. Comprenez-vous ce que je attends de vous? . . .

—Mais, dit Schaunard, ce ne serait pas déjà si désagréable pour la comédienne, si elle m'entend jouer du piano toute la journée, et gratis encore. Je suis de première force, et, si j'avais seulement un poumon attaqué . . .

—Oh! oh! reprit l'Anglais. Aussi je ne dirai pas à vous de faire de l'excellente musique, il faudrait seulement taper là-dessus votre instrument. Comme ça, ajouta l'Anglais en essayant une gamme; et toujours, toujours la même chose, sans pitié, monsieur le musicien, toujours la gamme. Je savais un peu le médecine, cela rend fou. Ils deviendront fous là-dessous, c'est là-dessus que je compte. Allons, Monsieur, mettez-vous tout de suite; je paierai bien vous.

—Et voilà, dit Schaunard qui avait raconté tous les détails que l'on vient de lire, voilà le métier que je fais depuis quinze jours. Une gamme, rien que la même dejuis cinq heures du matin jusqu'au soir. Ce n'est point là précisément de l'art sérieux; mais que voulez-vous, mes enfants, l'Anglais me paye mon tintamarre deux cents francs par mois; faudrait être le bourreau de son corps pour refuser une pareille aubaine. J'ai accepté, et dans deux ou trois jours je passe à la caisse pour toucher mon premier mois.

Ce fut à la suite de ces mutuelles confidences que les trois amis convinrent entre eux de profiter de la commune rentrée de fonds, pour donner à leurs maîtresses l'équipement printanier que la coquetterie de chacune convoitait depuis si longtemps. On était convenu, en outre, que celui qui toucherait son argent le premier attendrait les autres, afin que les acquisitions se fissent en même temps, et que mesdemoiselles Mimi, Musette et Phémie pussent jouir ensemble du plaisir de faire *peau neuve,* comme disait Schaunard.

Or, deux ou trois jours après ce conciliabule, Rodolphe tenait la corde, son poëme osanore avait été payé, il pesait 5 quatre-vingts francs. Le surlendemain, Marcel avait émargé chez Médicis le prix de dix-huit portraits de caporaux, à six francs.

Marcel et Rodolphe avaient toutes les peines du monde à dissimuler leur fortune.

10 —Il me semble que je sue de l'or, disait le poëte.

—C'est comme moi, fit Marcel. Si Schaunard tarde longtemps, il me sera impossible de continuer mon rôle de Crésus anonyme.

Mais le lendemain même les bohèmes virent arriver Schau-15 nard, splendidement vêtu d'une jaquette en nankin jaune d'or.

—Ah! mon Dieu, s'écria Phémie, éblouie en voyant son amant si élégamment relié, où as-tu trouve cet habit-là?

—Je l'ai trouvé dans mes papiers, répondit le musicien 20 en faisant un signe à ses deux amis pour qu'ils eussent à le suivre. J'ai touché, leur dit-il, quand ils furent seuls. Voici les piles, et il étala une poignée d'or.

—Eh bien, s'écria Marcel, en route! allons mettre les magasins au pillage! Comme Musette va être heureuse!

25 —Comme Mimi sera contente! ajouta Rodolphe. Allons, viens-tu, Schaunard?

—Permettez-moi de réfléchir, répondit le musicien. En couvrant ces dames de mille caprices de la mode, nous allons peut-être faire une folie. Songez-y. Quand elles ressemble-30 raient aux gravures de *l'Écharpe d'Iris,* ne craignez-vous pas que ces splendeurs n'exercent une déplorable influence sur leur caractère? et convient-il à des jeunes hommes comme nous d'agir avec les femmes comme si nous étions des Mondors[27] caducs et ridés? Ce n'est pas que j'hésite à sacrifier quatorze ou dix-huit francs pour habiller Phémie; mais je tremble; quand elle aura un chapeau neuf elle ne voudra plus me saluer peut-être! Une fleur dans ses cheveux, elle est si bien! Qu'en penses-tu, philosophe? interrompit Schaunard en s'adressant à Colline qui était entré depuis quelques instants.

—L'ingratitude est fille du bienfait, dit le philosophe.

—D'un autre côté, continua Schaunard, quand vos maîtresses seront bien mises, quelle figure ferez-vous à leur bras dans vos costumes délabrés? Vous aurez l'air de leurs femmes de chambre. Ce n'est pas pour moi que je dis cela, interrompit Schaunard en se carrant dans son habit de nankin; car, Dieu merci, je puis me présenter partout maintenant.

Cependant, malgré l'esprit d'opposition de Schaunard, il fut convenu de nouveau que l'on dépouillerait le lendemain tous les bazars du voisinage au bénéfice de ces dames.

Et le lendemain matin, en effet, à l'heure même où nous avons vu, au commencement de ce chapitre, mademoiselle Mimi se réveiller très étonnée de l'absence de Rodolphe, le poëte et ses deux amis montaient les escaliers de l'hôtel, accompagnés par un garçon des *Deux Magots* et par une modiste, qui portaient des échantillons. Schaunard, qui avait acheté la fameuse trompe, marchait devant en jouant l'ouverture de *la Caravane*.[28]

Musette et Phémie, appelées par Mimi qui habitait l'entresol, sur la nouvelle qu'on leur apportait des chapeaux et des robes, descendirent les escaliers avec la rapidité d'une avalanche. En voyant toutes ces pauvres richesses étalées devant elles, les trois femmes faillirent devenir folles de joie. Mimi était prise d'une quinte d'hilarité et sautait comme une chèvre, en faisant voltiger une petite écharpe de barège.

Musette s'était jetée au cou de Marcel, ayant dans chaque main une petite bottine verte, qu'elle frappait l'une contre l'autre comme des cymbales. Phémie regardait Schaunard en sanglotant, elle ne savait que dire:

5 —Ah! mon Alexandre, mon Alexandre!

—Il n'y a point de danger qu'elle refuse les présents d'Artaxercès,[29] murmurait le philosophe Colline.

Après le premier élan de joie passé, quand les choix furent faits et les factures acquittées, Rodolphe annonça aux 10 trois femmes qu'elles eussent à s'arranger pour essayer leur toilette nouvelle le lendemain matin.

—On ira à la campagne, dit-il.

—La belle affaire! s'écria Musette, ce n'est point la première fois que j'aurais acheté, taillé, cousu et porté une robe 15 le même jour. Et d'ailleurs nous avons la nuit. Nous serons prêtes, n'est-ce pas, Mesdames?

—Nous serons prêtes! s'écrièrent à la fois Mimi et Phémie.

Sur-le-champ elles se mirent à l'œuvre, et pendant seize heures elles ne quittèrent ni les ciseaux, ni l'aiguille.

20 Le lendemain matin était le premier jour du mois de mai. Les cloches de Pâques avaient sonné depuis quelques jours la résurrection du printemps, et de tous les côtés il arrivait empressé et joyeux; il arrivait, comme dit la ballade allemande, léger ainsi que le jeune fiancé qui va plan-25 ter le mai sous la fenêtre de sa bien aimée. Il peignait le ciel en bleu, les arbres en vert, et toutes choses en belles couleurs. Il réveillait le soleil engourdi qui dormait couché dans son lit de brouillards, la tête appuyée sur les nuages gros de neige qui lui servaient d'oreiller et il lui criait: 30 Ah! hé! l'ami! c'est l'heure, et me voici! vite à la besogne! Mettez sans plus de retard votre bel habit fait de beaux rayons neufs, et montrez-vous tout de suite à votre balcon pour annoncer mon arrivée.

Sur quoi, le soleil s'était en effet mis en campagne, et se promenait fier et superbe comme un seigneur de la cour. Les hirondelles, revenues de leur pèlerinage d'Orient, emplissaient l'air de leur vol; l'aubépine blanchissait les buissons; la violette embaumait l'herbe des bois, où l'on voyait déjà tous les oiseaux sortir de leurs nids avec un cahier de romances sous leurs ailes. C'était le printemps en effet, le vrai printemps des poëtes et des amoureux, et non pas le printemps de Matthieu Lænsberg,[30] un vilain printemps qui a le nez rouge, l'onglée aux doigts, et qui fait encore frissonner le pauvre au coin de son âtre, où les dernières cendres de sa dernière bûche sont depuis longtemps éteintes. Les brises attiédies couraient dans l'air transparent, et semaient dans la ville les premières odeurs des campagnes environnantes. Les rayons du soleil, clairs et chaleureux, allaient frapper aux vitres des fenêtres. Au malade ils disaient: Ouvrez, nous sommes la santé! et dans la mansarde de la fillette penchée à son miroir, cet innocent et premier amour des plus innocentes, ils disaient: Ouvre, la belle, que nous éclairions ta beauté! nous sommes les messagers du beau temps; tu peux maintenant mettre ta robe de toile, ton chapeau de paille et chausser ton brodequin coquet: voici que les bosquets où l'on danse sont panachés de belles fleurs nouvelles, et les violons vont se réveiller pour le bal du dimanche. Bonjour, la belle!

Comme l'Angélus sonnait à l'église prochaine, les trois coquettes laborieuses, qui avaient eu à peine le temps de dormir quelques heures, étaient déjà devant leur miroir, donnant leur dernier coup d'œil à leur toilette nouvelle.

Elles étaient charmantes toutes trois, pareillement vêtues, et ayant sur le visage le même reflet de satisfaction que donne la réalisation d'un désir longtemps caressé.

Musette était surtout resplendissante de beauté.

—Je n'ai jamais été si contente, disait-elle à Marcel; il me semble que le bon Dieu a mis dans cette heure-ci tout le bonheur de ma vie, et j'ai peur qu'il ne m'en reste plus! Ah bah! quand il n'y en aura plus, il y en aura encore. Nous 5 avons la recette pour en faire, ajouta-t-elle gaiement en embrassant Marcel.

Quant à Phémie, une chose la chagrinait.

—J'aime bien la verdure et les petits oiseaux, disait-elle, mais à la campagne on ne rencontre personne, et on ne 10 pourra pas voir mon joli chapeau et ma belle robe. Si nous allions à la campagne sur le boulevard?

A huit heures du matin, toute la rue était mise en émoi par les fanfares de la trompe de Schaunard qui donnait le signal du départ. Tous les voisins se mirent aux fenêtres 15 pour regarder passer les bohèmes. Colline, qui était de la fête, fermait la marche, portant les ombrelles des dames. Une heure après, toute la bande joyeuse était dispersée dans les champs de Fontenay-aux-Roses.

Lorsqu'ils rentrèrent à la maison le soir, bien tard, Colline, 20 qui, pendant la journée, avait rempli les fonctions de trésorier, déclara qu'on avait oublié de dépenser six francs, et déposa le reliquat sur une table.

—Qu'est-ce que nous allons en faire? demanda Marcel.

—Si nous achetions de la rente? dit Schaunard.

FINIS

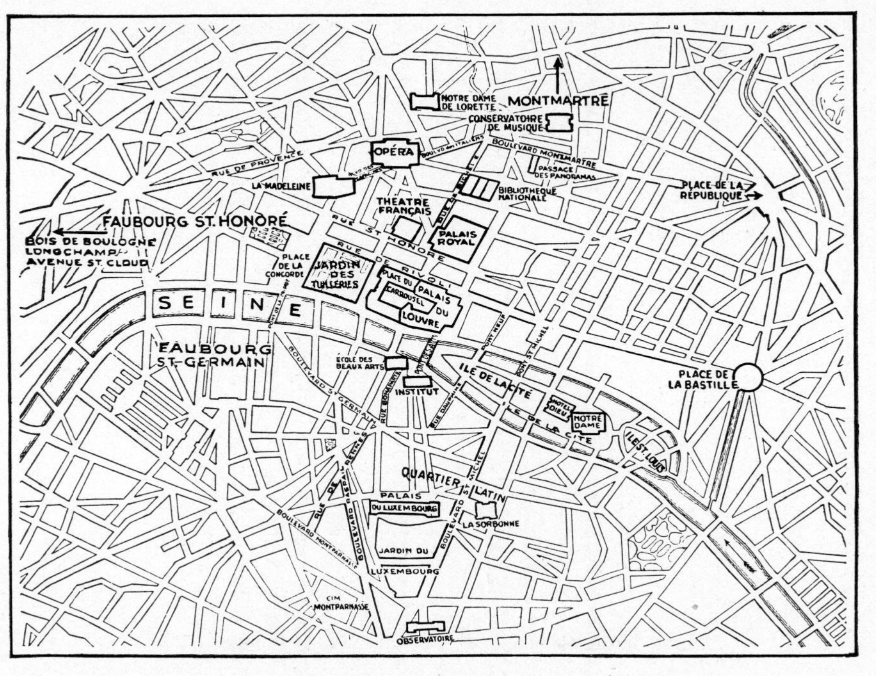

PLAN OF CENTRAL PARIS

NOTES

Chapter I 1.—**Sacrebleu.** The dash marks the beginning of a speech.

2. **pendule à plumes,** *feathered clock:* a common use of *à* with a substantive to denote a characteristic or distinctive quality.

3. **ce n'est pas pour dire,** *it is too bad to say so.* This expression softens a disagreeable remark; here the context is humorous.

4. **absents par suite du froid rigoureux.** This means that Schaunard had burned his furniture to keep warm; cf. page 74, line 18.

5. **meuble Maître Jacques,** *versatile piece of furniture.* In Molière's *l'Avare, Maître Jacques* performed the duties of several servants on account of his master's stinginess. Grammatically, *Maître Jacques* illustrates the use of a substantive with the force of an adjective.

6. **eut vêtu** is the past anterior tense, used after conjunctions of time.

7. **bureau des Longitudes:** a board concerned with astronomical observations and reckonings.

8. **il faudrait,** *I should.* The conditional often gives a softening, or less emphatic effect.

9. **Saturne,** *Saturn,* the god of time in Greek mythology, here used as a symbol of time.

10. **ne.** Omit in translation; *ne* is used redundantly after *à moins que, avant que,* after verbs of fearing, in comparisons, etc.

11. **ès,** *into,* is an almost obsolete preposition, preserved in a few fixed phrases.

12. **peut-être que,** *perhaps. Que* sometimes introduces a clause with no preceding verb expressed. Usually a verb may be supplied. In this particular case the original meaning of *peut-être,* 'it may be,' makes clear the use of *que.*

13. **comme s'il eût été mordu.** In literary style the pluperfect subjunctive is sometimes used in either the condition or conclusion of conditional sentences.

14. **vous** is here used indefinitely, as 'you' is much more frequently used in English.

15. **tout en monologuant.** *Tout* reinforces *en*, 'while,' and stresses the fact that the action is contemporaneous with the action of the main verb.

16. **qu'on ne trouverait,** *since one would not find. Que,* here used instead of *puisque,* may repeat any conjunction already once used in a sentence.

17. **osât** is the subjunctive in a relative clause of characteristic.

18. **des Madeleines,** *Magdalens,* in reference to Mary Magdalen, the repentant sinner forgiven by Christ.

19. **si,** *why.* Sometimes *si* introduces a clause in a sense corresponding to 'well' or 'why' in English.

20. **avec.** In this incomplete sentence, Schaunard implies that he would burn the beam to keep his room warm.

21. **celle-là,** *that one.* A feminine pronoun is occasionally used indefinitely, without reference to any noun expressed.

22. **Faudrait voir à,** *You should see about.* The omission of *il* with *falloir* is common in colloquial French.

23. **auparavant de.** In modern French only the adverb *auparavant* is recognized. The preposition *auparavant de* is an example of the porter's colloquial speech.

24. **ce ne sont pas des cheveux,** *these are not hairs.* The full partitive form *des* is used after the negative, because the meaning is not the usual partitive negative meaning 'not any.'

25. **fit,** *said. Faire* is sometimes used in place of *dire.*

26. **rue de Rivoli.** The concierge is impressed because the rue de Rivoli passes through a commercial and wealthy section of Paris, where references are required of lodgers.

27. **aria,** *hubbub,* is an example of the colloquial language of the book. *Aria,* an Italian word, is familiar in English through its use to designate an operatic air.

28. **chapeau blanc Louis XIII.** This is a wide-brimmed hat, usually with plumes. *Louis XIII* has the force of an adjective; cf. chapter I, note 5.

29. **il va l'être,** *it is going to be (so). Le* refers to *libre.* When referring to a preceding adjective, noun, or clause, *le* is often either untranslated, or translated by 'it,' 'one,' or 'so.'

30. **la** is feminine to agree with *personne,* although referring to a man.

31. **châssis,** etc. The *châssis* is a frame on which the *feuille,* 'surface,' of a canvas is stretched for painting. The frames are here repre-

sented as joined like the panels of a screen. These paintings on their frames constitute what Marcel humorously calls his furniture.

32. **la Légion d'honneur** is an order, founded by Napoleon, conferred upon persons distinguished in military or civilian life.

33. **en acquittant les trois quittances,** *by paying the three payments* (literally *receipts*). The words are used for punning effect.

34. **anankè** (ἀναγκή) means 'necessity' in Greek. *Guignon,* meaning 'bad luck,' is humorously associated by Schaunard with 'necessity' or 'fate.'

35. **Dieu que,** *Good Lord but.*

36. **lui** is the past participle of *luire.*

37. **allait comme chez Nicollet,** *was getting stronger and stronger.* This expression comes from a theater founded in 1760 by a dancer named Nicolet or Nicollet. The program always began with the words *De plus en plus fort.*

38. **chââârsse.** This spelling indicates M. Bernard's angry prolongation of the sound *a.*

39. **le denier à Dieu** is a small deposit guaranteeing payment in full. The term is applied to a sum handed to a servant or to a concierge.

40. **au sixième,** *on the seventh floor.* The French number the floors from the second up. We find elsewhere that the room was in the attic.

41. **l'hôtel Bullion.** See the vocabulary or the plan of Paris for proper names, when there is no note reference.

42. **des vrais meubles** is a familiar variant of *de vrais meubles.*

43. **quel qu'il soit,** *whatever (of whatever sort) it may be;* a common use of *quel* followed by *que* and the subjunctive.

44. **avec terreur.** Durand, and also his master, fear the proverbial poverty of painters.

45. **cinque . . . dernier.** The spelling *cinque* shows that the final consonant is pronounced by Durand; *dernier* is Durand's ignorant corruption of *denier.*

46. **dîme** is a humorous reference to the tithe, or ten per cent tax levied for the church.

47. **dût-il,** *even if he had to.*

48. **la Mère Cadet** is the name of a café. *Cadet* represents the proprietor's name, real or assumed, while *la mère* or *le père* often designates an odd character.

49. **qui auraient bien dû garder l'incognito,** *which ought to have*

kept their incognito, i. e., they were not things of beauty which the actress should be proud to show.

50. **la Lucie** is a familiar abbreviation of the name of the opera *Lucia di* (in French *Lucie de*) *Lammermoor,* by Donizetti (1835). The subject is taken from Scott's *Bride of Lammermoor.*

51. **cet amour que Dieu me donne.** This seems to be taken from an air in the third act of the opera *Lucia di Lammermoor.*

52. **le la,** i. e., the musical note *la.*

53. **faire mariner.** The infinitive is exclamatory.

54. **La ville d'Orléans en produit.** A famous brand of vinegar has long been manufactured at Orleans.

55. **je ne souffrirai pas,** *I shall not allow it.* Schaunard courteously protests against the other's sacrifice.

56. **M. de Buffon, qui mettait des manchettes,** *M. de Buffon, who was very careful* (literally *who wore cuffs*). Buffon (1707–1788) was a celebrated naturalist and stylist. There is a foolish tradition that he always wrote in full dress with lace cuffs. Hence comes the special application here of the idiom *mettre des manchettes,* 'to be very careful'. Colline is joking about the two-headed rabbit, although Buffon did devote some space to monsters in his *Histoire naturelle.*

57. **J'ai perdu ma journée,** *I have lost my day.* The Roman emperor Titus (40–81) is said to have uttered these words whenever a day passed without his conferring a benefit upon somebody.

58. **Momus.** This café is described in *les Confessions de Sylvius,* a series of sketches of Bohemian life by Jules Fleury (Champfleury), a friend of Murger. In Fleury's account the Bohemians were really disorderly. Momus was the Greek god of games and mirth.

59. **barbe multicolore.** Murger here describes his own beard. In a letter to a friend he referred to it as black, blonde, and red. This condition is supposed to have resulted from his unhealthy régime.

60. **du Juif-Errant,** *of the Wandering Jew,* a legendary personage, supposed to have taunted Christ on the cross, and to have been condemned to wander without rest until the second coming of Christ. A famous romance with this title was published by Eugène Sue in 1845.

61. **la Bibliothèque** is the French National Library, in the rue de Richelieu. It is one of the largest and most important libraries in the world.

62. **Murat.** Mouton confuses the revolutionary leader Jean Paul Marat (1743–1793), and Napoleon's brother-in-law Joachim Murat (1771–1815). He has some recollection of events in Paris at the time of

Murat's death, and also of one of the spectacular military displays produced in the Circus during the reign of Louis-Philippe. It was Marat who worked in a cellar. Neither Marat nor Murat was guillotined. Marat was assassinated by Charlotte Corday, and Murat was shot after an attempt to recover the throne of Naples. His death was not connected with any betrayal of Napoleon, nor was it decreed by the French Bourbons. The whole conversation between Mouton and Rodolphe represents, with humorous exaggeration, the clash between an ignorant, self-satisfied bourgeois, and an intelligent, impractical Bohemian.

63. **n'était venu.** *Ne* is sometimes used without *pas* in conditions.

64. **elle est bonne, celle là,** *that's a good one.*

65. **gris jusqu'à la troisième capucine,** *loaded to the guards.* The *capucines* are metal rings attaching the barrel of a gun to the stock. The third *capucine* is near the muzzle of the gun, hence the slang use applied to a drunken man.

66. **Mais si,** *Why yes. Si* means 'yes' in contradiction, correction, or dissent.

67. **sans doute que.** Omit *que* in translation; see chapter I, note 12.

68. **qu'on aura sans doute reconnu.** The future and future perfect sometimes express conjecture or probability.

69. **lui** refers to *hasard,* here personified.

70. **le neuf avril,** etc. This is about the time at which Murger, at the age of 18, was first leading a Bohemian life.

71. **de Navarre.** This is part of the traditional title of the French Bourbon kings, derived from the founder of the house, Henri IV, originally king of Navarre. However, the official title of Louis-Philippe was *Roi des Français.*

72. **l'Écharpe d'Iris.** Murger really worked on a fashion journal in the year 1845.

73 **far niente.** These are Italian words meaning 'doing nothing,' or 'idleness.'

74. **plus plu,** *pleased more.* These words are identical in sound, and therefore have a peculiar effect, incomprehensible at first to Marcel. Schaunard uses them humorously instead of the more euphonic *plu davantage.*

75. **les noces de Gamache,** *Camacho's wedding.* This is an allusion to an episode in the *Don Quixote,* where a rich countryman Camacho provides an extremely bounteous wedding feast.

Chapter II 1. **qu'il fait faim,** *why it's hungry time.* Schaunard uses *faire* as if he were speaking of the weather; *que,* introducing an exclamation, is usually translated 'how,' but 'why' is preferable here.

2. **Vendredi,** etc., *On Friday thou shalt not eat meat, nor anything else either.* This is a parody on the early church commandment: *Vendredi chair ne mangeras, ni le samedi mêmement,* 'On Friday thou shalt not eat meat, nor on Saturday either.'

3. **C'est trois sous.** Before the introduction into France in 1848 of the modern postage stamp, the receiver of a letter paid for its transmission.

4. **y'avait,** etc. In these verses, *y'avait = il y avait; quat' = quatre; m'nés = menés; un' petit = une petite.*

5. **ministériel,** *ministerial,* i. e., belonging to the political party in power. In and after 1840, under Louis-Philippe, the conservative party was in power, and was opposed, at least in theory, by the young Bohemians.

6. **centre gauche,** *center left.* Usually in European parliaments the right side of the hall is occupied by the conservatives, the center by the moderates, and the left by the radicals. Marcel argues that his deputy is moderate, with liberal leanings.

7. **une voracité Ugoline:** a reference to an episode in the 33d canto of Dante's *Inferno,* where *Count Ugolino* relates that he and his sons and grandsons were treacherously put in a tower and starved to death.

8. **De Garrick en Syllabe** is slang for *de Charybde en Scylla,* meaning 'from Charybdis to Scylla,' or 'from bad to worse.'

9. **Horace Vernet** (1789–1863) was a well known painter who had some of the elements of the classic and of the romantic school. He painted especially spectacular, martial scenes and was pleasing to the rich bourgeoisie. Hence the juvenile disdain of Schaunard can be understood.

10. **le Blancheron.** The article with proper names is familiar and rather contemptuous.

11. **en,** *of him.* When referring to persons, *en* may have a touch of contemptuousness.

12. **Tu t'en repentiras, Nicolas,** *You will regret it, old fellow.* Apparently *Nicolas* is used only to rhyme with *repentiras.*

13. **Vatel** was the name of a seventeenth century butler who killed himself through shame over some defects in the service of a meal at which Louis XIV was a guest. He is used in literature as a symbol for a talented butler or cook.

14. **Qu'est-ce qui payera** is familiar for *Qui est-ce qui payera.*

Chapter III 1. **du Vengeur.** Murger wrote several romantic dramas in his youth, and this is a reminiscence of them.

2. **un oncle à lui.** Murger did have an uncle who was a stove maker.

3. **J. G.** = J. Gambier, a manufacturer of pipes popular in Murger's time.

4. **accent piémontais.** It has been stated that Murger's family came from Savoy, then a part of Piedmont, in northwestern Italy.

5. **Nascuntur poê . . . liers:** a parody of Cicero's *Nascimur poetæ,* 'We are born poets.'

6. **piano, piano,** *very slowly:* an Italian expression, well known through its use in music (where it means 'softly') and elsewhere.

7. **dans son parc:** see page 50, line 6.

8. **pipe de Cudmer:** a German pipe with a large bowl. The real German word is *Kulmer.*

9. **cet Ali-Baba.** This well known Turkish name is used on account of Rodolphe's costume.

10. **il y a deux jours que je n'ai fumé,** *it is two days since I smoked;* again *ne* is pleonastic.

11. **en était au moins à la centième édition,** *had reached at least the hundredth edition,* i. e., had been repeated at least a hundred times.

12. **saint Denis.** The legend of St. Denis, the patron saint of France, says that he arose after being beheaded, carrying his head.

13. **Commandeur.** This is an allusion to a supernatural incident in the *Don Juan* legend, which must have been familiar to Murger through Molière's play, or through Mozart's opera *Don Giovanni.* The stone statue of the *Commandeur* (commander in an order of knighthood) visits Don Juan. The humorous reference here is to his heavy steps.

14. **Académie de Jeux floraux:** a name often given to societies which award prizes to poetic compositions. The original society of this name, founded at Toulouse in 1323, still exists, and gives golden flowers as prizes.

15. **il s'agit bien de cela,** *it's a fine time to talk about that* (ironical).

Chapter IV 1. **Pactole.** The Pactolus is a small river in Lydia, famous in ancient legends for its gold.

2. **Raoul-Rochette** was a French archæologist (1789–1854), here humorously referred to as living at the time of the founding of Nineveh.

3. **cette tranche du Pérou.** On account of its mines, Peru is often used in literature as a symbol of wealth.

4. **pour se faire quarante voleurs,** *to become forty thieves:* suggested by the story of *Ali-Baba and the Forty Thieves.*

5. **Crésus.** *Croesus,* king of Lydia in the sixth century B.C., was noted for his wealth.

6. **Revue des deux Mondes:** a famous French periodical; Murger himself wrote for it from 1851 on. Here he is poking fun at it.

7. **tricolore:** cf. chapter I, note 59.

8. **Théâtre-Français:** the most celebrated theatre in Paris, in the Palais-Royal, dating from the 17th century; its official name is *Comédie-Française.*

9. **Jeanne de Flandre** is the name of a five-act play in verse by Hippolyte Bis, produced at the *Comédie-Française* on October 29, 1845; it was a failure.

10. **steeple chase.** Many English words are borrowed in conversational or familiar French, especially words connected with sport.

11. **Jupiter entrant chez Danaé.** According to Greek legend, Jupiter visited Danae under the form of a rain of gold.

12. **la femme de Loth.** Lot's wife was turned into a pillar of salt when, out of curiosity, she disobediently turned to look at the city of Sodom.

13. **M. Sax.** Antoine Joseph Sax was a maker of musical instruments who took up his residence in Paris in 1842. The saxophone, which he invented, was named for him.

14. **je n'ai point trafiqué de ma plume.** This illustrates the proverbial Bohemian idea that an artist should never work for gain alone.

15. **machine:** used in slang of a theatrical or poetical production.

16. **Jean-Baptiste Say** (1767–1832) was a French economist.

17. **le vieux Médicis.** This character, who was taken from life, is treated at some length in the chapter *le Passage de la Mer Rouge.*

18. **pour passer le pont des Arts.** In Murger's time there was a charge of one sou to cross the *Pont des Arts,* a foot-bridge over the Seine, built 1802–4, and named from the neighboring Palais des Arts, as the Louvre was then called.

19. **Jocrisse** is a name used on the stage and in conversation to represent a stupid or awkward servant.

20. **Pharaon,** *Pharaoh,* was the general name of the ancient kings of Egypt. According to the biblical narrative, the waters of the Red

Sea parted before the Israelites, who were fleeing from Egypt, but swallowed up Pharaoh and the pursuing Egyptians.

21. **Salon** is the name given to the annual art-exposition in Paris.

22. **pour le rachat,** etc. This shows that Marcel had contributed to a philanthropic fund. Rodolphe's puns are characteristic. An *orgue de barbarie,* or hand-organ, is really named from its Italian inventor Barberi. **Chinois** means *'Chinese,'* but it is also the name of a small green orange sometimes preserved in brandy.

23. **les tours Notre-Dame:** the towers of the Cathedral of *Notre Dame,* which command an excellent view of Paris.

24. **Araignée du matin, chagrin.** This is part of a proverbial saying: 'A spider in the morning brings sorrow; a spider at noon brings worry; a spider in the evening brings hope.'

25. **La Dame Blanche** is a comic opera, music by Boieldieu, words by Scribe. The words here quoted occur near the end of the opera.

26. **prise:** Baptiste's mistake for *pris.*

27. **ces messieurs.** This really means *you gentlemen.* Sometimes in polite or formal address (especially to ladies) the demonstrative *ces* is so used.

Chapter V 1. **sa cousine Angèle.** This story is a reminiscence of Murger's boyish love for his cousin.

2. **l'ingénieur Chevalier.** Jean Gabriel Augustin Chevalier was an optician.

3. **douze degrés au-dessous de zéro:** centigrade scale, equivalent to about 10 degrees above zero Fahrenheit.

4. **ou parce que:** supply *elle était dévote.*

5. **mais froide, mais sèche:** The repetition of *mais* is emphatic.

6. **Paul et Virginie,** the hero and heroine of an idyllic sentimental novel *Paul et Virginie* by Bernardin de Saint-Pierre (1737–1814).

7. **mont Saint-Bernard:** more properly the Great St. Bernard Pass, a frequented route over the Alps between Switzerland and Italy. Its name is derived from the monastery established on its summit in the 10th century, to save travelers from freezing to death in the snow.

8. **Palais-Royal:** a palace built by Richelieu in the 17th century, north of the Louvre. It encloses a large public garden surrounded by arcades in which there are numerous shops.

9. **le père Joseph** (1577–1636) was the confidant and counsellor of Richelieu. He was popularly called 'His Gray Eminence.' His influence was greatly feared in certain quarters, whence the traditional name of *l'âme damnée de Richelieu.*

10. **N'allez pas m'oublier:** a variant for the simple imperative *ne m'oubliez pas;* cf. English 'Don't go and forget me.'

11. **une machine en vers:** see chapter IV, note 15.

12. **Artémise.** Artemisia, queen of Caria in the fourth century B.C., gave splendid prizes for panegyrics of her dead husband.

13. **la grande armée pendant la retraite de Russie.** Napoleon's Grand Army suffered terribly from cold during the retreat from Moscow in 1812.

14. **le Rubicon . . . la Bérésina.** The Rubicon is a small stream in northern Italy. When Caesar crossed it in 49 B.C., he virtually declared war on the central government of Rome. The Beresina (Berezina) is a river in western Russia, crossed with terrible losses by the Grand Army in 1812.

15. **Chatterton.** Thomas Chatterton (1752–1770) was a poet who committed suicide in London at the age of eighteen years, after several months of poverty. Alfred de Vigny wrote a romantic play called *Chatterton,* produced first in 1835. In the last act of this play Chatterton throws his manuscripts on the fire, the reason being not cold, but wounded pride.

16. **Arago.** Dominique François Arago (1786–1853) was a French astronomer and director of the Observatory.

Chapter VI 1. **les quatres mousquetaires:** an echo of Alexandre Dumas' *les Trois Mousquetaires,* which appeared in 1844.

2. **dont.** The antecedent is *demitasse.*

3. **au Castor.** Murger was editor of this journal in 1845.

4. **Bergami** was the name of an Italian courtier of Caroline of Brunswick, wife of George IV of England. Bergami often visited Paris. He had long whiskers.

5. **l'Almanach des Muses.** This was the name given to collections of fugitive poems, published annually from 1764 to 1863.

6. **Saint-Denis** is a town near Paris, where there is a well known school for girls.

7. **on tira au plus gros dé,** *they threw for the highest number.* They threw dominoes, and the one with the highest number was obliged to speak to the proprietor.

Chapter VII 1. **le jury** was the committee appointed to pass on paintings submitted to the annual exposition at the Louvre.

2. **au Musée:** the Louvre.

3. **l'Institut** is the name given to the assemblage of the five French Academies, including the Academy of Fine Arts.

4. **l'école des Beaux-Arts** is the national school of fine arts.

5. **Jean Bélin** was the hero of an anonymous poem popular among young Parisian painters of the forties.

6. **les Noces de Cana** is a famous painting in the Louvre of the wedding feast of Cana by Paul Veronese (1528–1588).

7. The **Passage des Panoramas** is a closed gallery leading off the Boulevard Montmartre, some distance north of the Palais-Royal. It was named for two panoramic towers at one end of it. Marcel's reference is of course a huge joke.

8. **C'est la plus sûre manière de le faire jamais graver,** *That's the surest way of ever having it engraved.* Colline's joke implies that Marcel may as well let his picture be engraved in the memory of the committee, for it will never be really engraved. The technical engraving of a picture is a process preliminary to reproduction, and implies popularity.

9. **celui-là,** *that one.* The reference is indefinite, but we may assume some masculine noun understood such as *bon mot,* or *calembour.*

10. **une toile de cent sur châssis à clef,** *a hundred-inch canvas on a key-frame.* This means a frame arranged without nails so as to prevent injury from stretching of the canvas.

11. **Damoclès.** The story is that Dionysius, tyrant of Syracuse about 400 B.C., had a courtier Damocles who always flattered him. To show him the precariousness of a king's existence, Dionysius seated Damocles upon the throne for a time, with a sword suspended over his head by a hair. The sword of Damocles is used to symbolize a constant threat.

12. **La banque d'échange de M. Proudhon.** Pierre Joseph Proudhon (1809–1865), a political and economic theorist, planned a bank in which credit could readily be advanced on all sorts of property without the use of metallic money.

13. **Asmodée.** Asmodeus was a demon in old Jewish tradition. Through the use of the name by the Spanish writer Guevara and by Lesage, it has come to denote one who knows everything through private sources of information.

14. **l'Almanach des vingt-cinq mille adresses** was a sort of directory.

15. **son commerce.** Careful reading of the following list will give an idea of the variety of Médicis' business, of the relation between certain purchases and sales, and of his profits.

16. **Archimède.** Archimedes (287–212 B.C.) was a famous Greek scientist who helped to defend Syracuse against the Romans in 214–212 B.C. by the use of skilful inventions. Of course the reference here is to a false antique. The compass was invented later.

17. **non coupées,** *with pages uncut:* a reference to the fact that the works were not read.

18. **madame du Barry** (1743–1793) was a famous mistress of Louis XV. Articles that had belonged to her were valuable, and the vase here referred to was probably counterfeit.

19. **préfet de la Seine,** the chief administrative officer of the department of the Seine. The ridicule of his mistakes in spelling is characteristically French.

20. **pour ce:** a colloquial use of *ce* equivalent to *cela.*

21. **Cinna.** In Corneille's play *Cinna* occur the often quoted words: *Prenez ce siége, Cinna,* 'Take this seat, Cinna.'

22. **L'es tu content?** Apparently there should be a pause before *content:* 'Are you (so),' i. e. 'content'? Of course *content* forms a pun with *comptant.*

23. **Harpocrate.** Harpocratis was an Egyptian god mistakenly adopted by the Greeks and Romans as the God of silence.

24. **Léon X.** Leo X, pope from 1513 to 1521, was a great patron of painters.

25. **A table, à table.** This is the beginning of the banquet song which is the first chorus of the opera *les Huguenots* by Meyerbeer.

26. **La voix du peuple, c'est la voix de Dieu** is a translation of the well known old Latin saying, *Vox populi vox dei est,* 'The voice of the people is the voice of God.'

Chapter VIII 1. **aux Deux Magots:** a department store, no longer in existence, at the corner of the Boulevard Saint-Germain and the rue de Rennes.

2. **utile dulci:** Latin words from Horace's *Ars Poetica,* line 343. They mean that the useful should be mixed with the sweet.

3. **caserne de l'ave Maria.**—This barrack, no longer in existence, was not far from the Place de la Bastille.

4. **Précédé d'un hareng.** There is a pun here. The word *sor* or *saur,* pronounced like *sort,* means 'salted' or 'smoked,' and is used al-

most exclusively with *hareng,* to mean 'smoked herring' or 'red herring.'

5. **médico-chirurgical-osanore.** In his *Propos de ville et propos de théâtre* Murger says that a dentist did ask for a poem of this nature.

6. **le Conducteur parisien** was a guide book for travelers in Paris.

7. **M. Birn'n.** This choice of a name for an Englishman indicates Murger's ignorance of English. It has been suggested that he was aiming at the name Birne.

8. **spleenatique.** Continental Europeans have long been accustomed to regard the Englishman as morose or melancholy, i. e., full of spleen.

9. **le bête.** The Englishman's French is far from correct. He should say *la bête,* and *il me fera mourir.* Later remarks of M. Birn'n will be left to the student to decipher. Note his failure to elide.

10. **Théramène,** in Racine's *Phèdre,* makes a long recital about the death of Hippolytus.

11. **Cotées des prix fous,** *quoted at fabulous prices. Des* is partitive.

12. **palissandre.** The meaning of this passage is that one risks poverty (being put on straw) for having put them in luxury (rosewood).

13. **Frontin . . . Lisette.** These are stock names in old French comedy for the intriguing valet and chambermaid.

14. **la rue Coquenard . . . la rue de Provence.** The rue Coquenard was the old name of one of the streets leading up to the church of *Notre Dame de Lorette,* a little northeast of the *Opéra.* In Murger's time it was a somewhat disreputable neighborhood. The more respectable rue de Provence is a short distance west.

15. **Longchamp,** in the *Bois de Boulogne,* just west of Paris, is now celebrated as a race-course. In Murger's time it was chiefly famous as a place frequented at Easter time by the carriages of the wealthy.

16. **Golconde.** *Golconda* is the name of a ruined city in India, used as a symbol for great wealth.

17. **le Thibet.** A fine woolen cloth used for cloaks comes from Tibet.

18. **la question des sucres:** a question often debated in parliament.

19. **Vert-Vert** is an eighteenth century poem (by Gresset), named from the leading character, a parrot that shocks the inhabitants of a monastery by a vocabulary acquired while traveling.

20. **Hoffmann.** André Hoffmann (1814–1862) was a comedian who excelled in the part of an Englishman. Lord Spleen was one of his rôles.

21. **bénéfice.** This refers to a benefit performance held in behalf of the leading actor or actress of a company.

22. **ce était pour boire.** This is insulting, because it implies giving a tip as to an inferior. Note the failure to elide.

23. **Dolorès n'a fait qu'une avant-scène,** *Dolores has filled only one stage box.* This use of *faire* is slang. The *avant-scènes* are the boxes directly to the right or left of the front of the stage.

24. **coupons de pris.** In translation omit *de,* which is used idiomatically in a construction analogous to the partitive.

25. **plein de respect pour la loi.** This is one of the stock jokes made about Englishmen.

26. **Alexandre VI.** This was the famous Alexander Borgia, pope from 1492 to 1503. About him and his family a long list of sinister stories of murders by poisoning grew up, probably partly true and partly false.

27. **Mondor** was the name of an actor and famous public character in the seventeenth century in Paris. He appeared in a long beard and flowing robe, and here is simply a symbol for an old man.

28. **La Caravane** is an opera ballet, words by Morel de Chédeville, music by Grétry, first produced in 1784. The overture has remained popular.

29. **Artaxercès.** Colline is cynical. He implies that Phémie will not hesitate to accept favors from rivals of Schaunard. Alexander the Great was opposed in Persia by a satrap named Bessus who murdered Darius and took the name Artaxerxes.

30. **Matthieu Laensberg** was a French mathematician and astrologer who lived about 1600, and published an almanac with weather predictions, etc.

EXERCISES

I

COMMENT FUT INSTITUÉ LE CÉNACLE DE LA BOHÈME, pp. 1–14

Study the following:

a) *De faire connaître* (3, 5) [1]; *faire comprendre* (5, 18); *faire déposer* (10, 24); *faire savoir* (13, 10).

The verb *faire* followed by the infinitive corresponds to the English 'to have' (sometimes 'to make,' 'cause,' 'let,' 'get,') followed by the infinitive or the past participle. When both *faire* and the dependent infinitive have an object, the object of *faire* is indirect.

b) *Pendule à plumes* (3, 10); *à longs poils* (4, 26); *aux sons douteux* (5, 8); *papier à tête* (13, 5).

The preposition *à* is used in phrases to describe a characteristic or distinctive quality. A common English equivalent is 'with.'

c) *Il n'est que cinq heures* (4, 8); *je ne vois qu'un paravent* (11, 14).

'Only' is often expressed by *ne* before the verb and *que* after it.

I. TRANSLATE

1. He wants to have the letters brought.
2. I should like to make myself understood.
3. The young man with the blue eyes is here.
4. Schaunard is looking only for a moving van.
5. They will make known your nomination to you.
6. That is the piano with the beautiful sounds.
7. She is going to buy a hat with plumes.
8. They have found only three pieces of furniture.
9. We have had the porter carry only one frame.
10. He has not had the message written.

II

Write ten original sentences to illustrate these constructions.

[1] These references are to page and line of the text.

II

COMMENT FUT INSTITUÉ LE CÉNACLE DE LA BOHÈME, pp. 15–26

Study the following:

a) *Se dressèrent d'effroi* (17, 17); *connu de tous les étalagistes* (25, 9); *vêtu d'un habit noir* (26, 5).

The preposition *de* is used in many phrases, where English employs 'with,' 'by,' 'to,' 'in,' etc.

b) *Qui devait venir* (20, 29); *qui auraient bien dû* (21, 31).

The tenses of *devoir* require care in translation. Thus the present and imperfect tenses are often translated by 'I am to,' 'I was to,' etc., while the conditional and conditional perfect tenses are often equivalent respectively to 'I ought' and 'I ought to have.'

c) *Leur emprunter* (19, 29); *emprunter à ceux* (20, 6).

Emprunter and other verbs implying the general idea of removal or separation take the indirect object in French. This makes the preposition *à* often correspond in translation to the English 'from.'

I. TRANSLATE

1. M. Bernard was stupefied with fright.
2. This young man will be known to all the concierges in Paris.
3. The young man with the white hat is to come soon.
4. You ought to show us some real furniture.
5. I am going to borrow ten francs from him.
6. They would buy the house from me.
7. The landlord was dressed in a green coat, with a big hat on his head, and black shoes on his feet.
8. They were to see us at five o'clock.
9. He would like to tear the books away from them. (*arracher* = 'to tear away')
10. The artist ought not to have ordered the soup.

II

Write ten original sentences illustrating these constructions.

c) *Que c'est ennuyeux!* (54, 5).
In exclamations *que* usually corresponds to English 'how.'

I. TRANSLATE

1. When he studies the chapter he will know it.
2. The young Turk will never do without it.
3. How unfortunate it is!
4. When they have some fire they will be happy.
5. How famous a manual it is!
6. How fine the weather is!
7. When the fagots are finished he will be cold.
8. They have never done without heat.
9. As soon as they have arrived, I shall see them.
10. You ought not to have said that you would do without it.

II

Write ten original sentences illustrating these constructions.

VI

LES FLOTS DU PACTOLE, pp. 59–71

Study the following:

a) *Il venait de toucher* (59, 5); *je viens de faire* (63, 16).
Venir de means 'to have just.'

b) *Je vous dis depuis une heure* (27, 29); *qu'il convoitait depuis longtemps* (59, 15); *qui le logeait depuis quelque temps* (59, 17).
An action begun in the past and still going on is expressed by the present tense with *depuis.* An action begun in the more remote past and continued in the more immediate past is expressed by the imperfect tense with *depuis.*

c) *Des vrais meubles en acajou* (16, 30); *habillé en Turc* (50, 8); *une canne en jonc* (68, 4).
En has certain idiomatic uses, such as to express material or to mean 'like.'

I. TRANSLATE

1. They have just obtained four hundred francs.

2. We have been lodging them for a long time.
3. These five-franc pieces are of gold.
4. I have never dressed like a Frenchman.
5. His friend had just picked up the money.
6. She had been studying economy for three months.
7. All my chairs are not of mahogany.
8. What have you been doing for ten minutes?
9. We have just finished what they had not finished.
10. The young men had been spending their money for a week.

II

Write ten original sentences illustrating these constructions.

VII

LES VIOLETTES DU POLE, pp. 72–81

Study the following:

a) *Une des plus élevées qui soient à Paris* (74, 9); *aucun moyen qui pût l'aider* (75, 8); *quelqu'un qui puisse* (76, 19).

The subjunctive is used in characteristic or indefinite relative clauses, and in relative clauses after a superlative.

b) *Après avoir demandé* (73, 7); *après avoir bouché* (75 3); *après avoir expliqué* (77, 13).

Après is followed by the perfect infinitive.

c) *Angèle avait dix-huit ans* (72, 7); *la Providence eut pitié de lui* (75, 13); *je tiendrais à ce que ce soit triste* (76, 28).

Avoir and *tenir* have various idiomatic meanings; *tenir à* or *tenir à ce que* mean to 'insist upon' or 'to care about.'

I. TRANSLATE

1. The painter was twenty-three years old.
2. I do not know any artist who can help them.
3. After promising the flowers he went to Marcel's room.
4. The four winds will not take pity on us.
5. These are the best verses that I have read.
6. They will insist upon its being finished tomorrow.
7. I should never have insisted upon that.
8. After eating what will you do?

9. He could not find an editor who would dare to publish it.
10. I think that there is some one who may be willing to help us.

II

Write ten original sentences illustrating these constructions.

VIII

UN CAFÉ DE LA BOHÈME, pp. 82–92

Study the following:

a) *Qu'il parte* (67, 2); *qu'on repasse demain* (83, 30).

Que followed by the subjunctive in the third person often corresponds to an English phrase with 'let.'

b) *Faisait que les autres habitués demeuraient* (83, 8); *ne fit que monter* (89, 17).

Faire followed by a *que* clause in the indicative means 'to bring it about that' or 'to make,' followed in English by a noun and the infinitive; *ne faire que* corresponds to the Enlgish 'to do nothing but' or 'only.'

c) *Qui avait la vue excellente* (87, 7); *il ne tient qu'à vous* (85, 23).

When *avoir* is followed by parts of the body, the definite article is used. *Tenir à,* when impersonal, means 'to depend upon,' or the colloquial 'to be up to.'

I. TRANSLATE

1. He made all the waiters remain astonished.
2. They will do nothing but eat and drink.
3. Let him come to the café in the morning.
4. Let them order what they want.
5. It will depend upon you (i. e. 'be up to you') to arrange it.
6. She has a beautiful nose, and a red mouth.
7. They only laughed.
8. Let her drink from all the bottles.
9. We shall make everybody stay in the room.
10. She has her mouth full of sardines.

II

Write ten original sentences illustrating these constructions.

IX

LE PASSAGE DE LA MER ROUGE, pp. 93–102

Study the following:

a) *Qui s'est attaché* (93, 16); *Marcel ne s'était pas découragé* (93, 20); *une ovation flatteuse s'était élevée.* (102, 3).

Reflexive verbs are conjugated with the auxiliary *être.* The past participle agrees with the reflexive pronoun object, but only when it is a direct object.

b) *Peu de chose* (96, 14).

Expressions of quantity (*peu, beaucoup, plus, moins, trop,* etc.) are followed by *de* before a noun.

c) *S'étendaient* (98, 32); *il s'arrêta* (101, 29); *il s'appelait* (102, 2); *je m'y attendais* (94, 28).

The French reflexive sometimes corresponds to a simple English intransitive verb, or to an English passive.

I. TRANSLATE

1. The painters have attached themselves to the poets.
2. A great ovation would have arisen.
3. The girls had never been discouraged.
4. All this work is only an insignificant thing.
5. If you don't speak to them, they will never stop.
6. The system of Médicis has extended to many operations.
7. I should never have expected it.
8. She has always been called Mimi.
9. What would they have said to themselves?
10. Too many hours of work mean little good work.

II

Write ten original sentences illustrating these constructions.

X

LA TOILETTE DES GRACES, pp. 103–122

Study the following:

a) *Aux uns et aux autres* (106, 3); *les uns et les autres* (106, 17); *l'une contre l'autre* (120, 3).

To express 'each other' or 'one another,' when the simple reflexive is insufficient or inapplicable, some combination of *l'un* and *l'autre* (or *les uns* and *les autres*) is used, with a preposition, if the sense calls for one. The combination *l'un et l'autre* may mean 'both'; *les uns et les autres,* 'all.'

b) *Celui-ci* (111, 8); *celle-ci* (110, 10); *celles-ci* (113, 18).

Celui-ci, celle-ci, ceux-ci, and *celles-ci* may be used to mean 'the latter,' or an English emphatic personal pronoun. 'The former' is expressed by *celui-là,* etc.

c) *Quand elles ressembleraient* (118, 30); *quand il n'y en aura plus* (122, 4).

Just as *quand, lorsque, aussitôt que,* etc. take the future tense when they really refer to future time, so they take the conditional tense when they refer to future time from a past standpoint.

I. TRANSLATE

1. We shall speak to one another.
2. They have never declared war against each other.
3. I have seen the Englishman and the actress but *she* (i. e. 'the latter') has just gone out.
4. He said that he would come when he had (i. e. would have) the time.
5. They thought that they would occupy a box when they went (would go) to the theater.
6. I have all the tickets, but these are better than those.
7. I do not know, replied the latter, when she will come.
8. I knew that we should see him as soon as he arrived.
9. They have always talked about one another.
10. We shall never forget each other.

II

Write ten original sentences illustrating these constructions.

VOCABULARY

References in the vocabulary are to page and line of the text

A

à to, at, for, in, into, by, with, of, from, on
abandonner to abandon, leave
abîme *m.* abyss
abîmer to engulf, bury; **s'—** to be spoiled
abondance *f.* abundance
abonné *m.* subscriber; 83, 17 regular customer
abonnement *m.* subscription
abonner to subscribe; **s'—** to subscribe
abord *m.* approach; **d'—** at first, first of all; **tout d'—** at the very first, at first
Abraham *m.* Abraham; **en —** 99, 18 in the name of Abraham
abréger to cut short, reduce
abri *m.* shelter; **à l'— de** sheltered from
absence *f.* absence
absent, -e absent
absolu, -e absolute
absolument absolutely, exactly
absurde absurd
académie *f.* academy
acajou *m.* mahogany
accaparement *m.* monopoly
accent *m.* accent
accepter to accept
accès *m.* fit
acclamer to acclaim
accompagnement *m.* accompaniment
accompagner to accompany
accomplir to accomplish, carry out
accord *m.* chord, tuning
accorder to grant
accourir to run (up), hasten (up)
accroc *m.* tear
accrocher to hang; **s'—** to be caught; **s'accroche** 6, 9 goes; **accroché, -e** hanging
accroupir to squat; **accroupi, -e** squatting
accueil *m.* reception
accueillir to receive, greet
accuser to accuse, betray, show
acharné, -e obstinate, furious
achat *m.* purchase
acheter to buy
achèvement *m.* completion
achever to complete, finish; **— de** to finish (*doing something*)
acide *m.* acid
acquérir to acquire, secure
acquisition *f.* acquisition
acquitter to discharge, pay, settle, receipt, acknowledge; **s'—** to discharge one's obligations
acrobate *m.* acrobat
acte *m.* act, certificate
activement actively
actrice *f.* actress
actuel, -le actual, present
actuellement at present
adapter to adapt
addition *f.* bill
additionner to add up
Adèle *f.* Adele
adieu m. farewell
adjuger to adjudicate; **adjugé** 101, 7 sold
admirer to admire

adolescence *f.* adolescence
adolescent *m.* adolescent
adopter to adopt
adorable adorable
adoration *f.* adoration
adorer to adore
adresse *f.* address
adresser to address, direct; **s'—** to apply; **s'— à** to address, apply to
adroitement skilfully
adultère *m.* adultery
adversaire *m.* adversary
affaire *f.* affair, business, business matter; **—s** business, belongings; **avoir — à** to have to deal with; **la belle —** 120, 13 that's a fine idea; **homme d'—s** business man
affiche *f.* poster
afficher to post
affirmer to affirm
affliger to distress
affreu-x, -se frightful
afin de in order to
agacer to provoke
âge *m.* age; **à la fleur de l'—** in the prime of life; **en bas —** in (one's) first infancy
agio *m.* speculation (*resulting from manipulation of public securities*)
agir to act; **s'— de** to be a question of, be essential to
agitation *f.* agitation, pulling, jerking
agiter to shake, pull
agréable agreeable
agréablement pleasantly
ah ah, oh
aide *f.* aid
aider to aid, help
aïe oh
aïeule *f.* ancestress
aigu, -ë sharp, keen, shrill
aiguille *f.* needle
aile *f.* wing
ailleurs elsewhere; **d'—** besides, moreover
aimer to like; **— à croire** to hope; **— mieux** to prefer
ainsi thus; **par —** consequently; **pour — dire** so to speak; **— que** as, just as; **s'il en est —** if that is the case
air *m.* air, appearance
aise *f.* ease; *adj.* glad; **à l'—** at ease, comfortable
aisé, -e in easy circumstances
ajouter to add
Albion *f.* Albion
alcool *m.* alcohol; 25, 27 alcoholic drink
alcôve *m.* alcove
alentour around; **d'—** of the neighborhood
Alexandre *m.* Alexander
alexandrin *m.* alexandrine (*name of the common 12-syllable French verse*)
Ali *m.* Ali (*Arabic or Turkish name*)
Ali-Baba *m.* Ali-Baba
aliénation *f.* alienation
Ali-Rodolphe *m.* Ali-Rudolph
Allah *m.* Allah
allégro *m.* allegro
allemand, -e German
aller to go, go on, proceed, resort, be going to, be (*of health*); **— à** to suit, satisfy, fit; **s'en —** to go away; **s'en allait** 23, 3 trailed off; **allons** come; **allons donc** 70, 9 nonsense; **va** go on, there; **comment vous va** how are you; **va donc pour cinquante francs** 45, 3 agreed then for fifty francs

allumer to light, enkindle
allumette *f.* match
allusion *f.* allusion
almanach m. almanac
alors then
alphabet *m.* alphabet
alphabétique alphabetical
altéré, -e (de) desirous (of), eager (for)
altérer to alter
alterner to alternate
amabilité *f.* kindness
amant *m.* lover
amas *m.* pile
amateur *m.* amateur, private collector (*of pictures*)
ambre *m.* amber
âme *f.* soul
améliorer to alleviate, improve
amener to bring, bring about; **— à composition** 116, 19 to bring to terms
am-er, -ère bitter
ami *m.* friend; **l' —** 120, 30 my friend
amie *f.* friend, sweetheart; **— de coulisse** theatrical friend
amitié *f.* friendship
amoroso – littéraire amorous – literary
amour *m. and f.* love, love affair
amourette *f.* little love affair
amoureu-x, -se amorous; *m.* lover; **— de** in love with
amour-propre *m.* self-esteem
amphibie *m.* amphibian
amphitryon *m.* host
ample ample, full
amputer to amputate; **amputée d'une jambe** 50, 3 with one leg amputated
amuser to amuse
an *m.* year; **avoir . . . —s** to be . . . years old; **jour de l'—** New Year's day; **par — a** year
ananas *m.* pineapple
anankè (*Greek* 'αναγκή) necessity, fate
ancien, -ne old, former; *m.* ancient (*man of antiquity*)
Andalousie *f.* Andalusia
anéantir to prostrate
ange *m.* angel
Angèle *f.* Angela
Angélus *m.* Angelus (*name of a prayer or devotion to the Virgin Mary recited about six* A. M., *noon, and six* P. M., *and announced by the tolling of a bell*)
anglais, -e English; *m.* Englishman; **à l'anglaise** in English style
angoisse *f.* anguish; **poire d'—** gag
animal *m.* animal, beast
animer to animate
année *f.* year
annoncer to announce
annotation *f.* annotation
annoter to annotate
annuellement annually
anonyme anonymous
antiquaire *m.* antiquarian
antique old, ancient
antithèse *f.* antithesis
antre *m.* cave, den
apaiser to appease
apercevoir to perceive; **s'— (de)** to perceive
aphorisme *m.* aphorism
aplomb *m.* assurance; **d'—** firmly
apogée *m.* apogee, climax
Apollon *m.* Apollo
apoplectique apoplectic
apostropher to address
apparaître to appear

apparat *m.* pomp; **d'—** solemn
appareil *m.* apparatus; **—s** apparatus, implements
apparent, -e conspicuous
appartement *m.* apartment, room
appartenir to belong; **— à** to devolve upon
appel *m.* call
appeler to call, call in, summon; **s'—** to be called
appétit *m.* appetite
appliquer to apply, follow
appointements *m. pl.* salary
apport *m.* market, investment; **— social** 106, 20 joint assets
apporter to bring, raise, extend
appréciation *f.* appreciation
apprendre to learn, make known; **— à** to teach
approcher to approach, bring near; **s'— de** to approach
approfondir to deepen, extend
appui-main *m.* maulstick (*used by painters to support the hand that holds the brush*)
appuyé, -e leaning, resting; **— à** leaning against
appuyer to lean; **— sur** 11, 22 to stress
après after, afterwards, later; **— ça** after all; **d'—** following, according to
après-demain day after tomorrow
aquilon *m.* north wind, (cold) wind
arabe Arabic
Arago *surname*
araignée *f.* spider
arbitraire arbitrary; *m.* arbitrariness, tyranny
arborer to hoist
arbre *m.* tree
arc *m.* bow
argent *m.* silver, money
argentin, -e silvery
argument *m.* argument
aria *m.* hubbub
aride arid
aristocratique aristocratic
arme *f.* arm, weapon; **— à feu** firearm
armée *f.* army
arracher to tear (out); **s'—** to tear out
arranger to arrange; **s'—** 62, 33 to arrange, make arrangements
arrêter to stop, fix, settle; **s'—** to stop
arrivée *f.* arrival
arriver to arrive, come
arrondir to round out
arrondissement *m.* district, ward (*political division of a province or city*)
arroser to water, sprinkle, moisten
art *m.* art
Artaxercès *m.* Artaxerxes
Artémise *f.* Artemisia
artichaut *m.* artichoke
article *m.* article
articuler to articulate
artifice *m.* artifice; **feu d'—** 39, 9 display of fireworks
artiste *m. or f.* artist, actor, actress
artistique artistic
ascension *f.* ascent; 54, 31 pulling up
asiatique Asiatic
Asmodée *m.* Asmodeus
assaut *m.* assault; **donner l'— à** to launch an assault upon
asseoir to seat, set, rest, confirm; **s'—** to sit down, become confirmed *or* settled

assez quite, very, sufficiently, very well; **— de** enough
assidûment assiduously
assiette *f.* plate
assignat *m.* assignat (*paper money issued by the revolutionary government of France*)
assister to be present; **— à** to attend
association *f.* association
assurer to assure
astre *m.* star, heavenly body
atelier *m.* studio
athée *m.* atheist
âtre *m.* hearth
atroce atrocious
attacher to attach, tie
attaquer to attack, affect
atteindre to attain, reach, affect
atteinte *f.* approach
attendre to wait, await, wait for, expect; **s'y —** to expect it; **attendu que** seeing that
attention *f.* attention
attentivement attentively
atterrer to astound
attiédi, -e tepid
attirer to attract
attitude *f.* attitude
attraper to catch
attribuer to attribute
au = a + le
aubaine *f.* windfall
aubépine *f.* hawthorn
auberge f. inn
aucun, -e any, not any, no
aucunement at all, not at all
audevant before, in front; **aller — de** to go to meet
augmenter to increase, raise
auguste august
aujourd'hui today
aune *f.* ell (*an old measure equal to about 45 inches*)
auparavant before; **— de** before
auprès de beside, to the side of
aurore *f.* dawn
auspices *f. pl.* auspices
aussi also, too, so, as
aussitôt at once
autant as much, the same; **d'—** 64, 9 just to that extent; **— que** as far as
auteur *m.* author
authentique genuine
autoriser to authorize, give authorization
autour around; **— de** around, about
autre other; **— chose** anything else; **l'un l' —** each other, one another, mutually; **les uns et les —s** 106, 17 all; **les uns sur les —s** upon one another; **l'un de l'—** 48, 4 each other's; **l'une dans l'autre** 105, 18 apiece; **vous —s** you
autrefois formerly
avalanche *f.* avalanch
avance *f.* advance; **d'—** in advance
avancer to advance, push forward, bring forward, progress, be fast; **s'—** to advance
avant before; **— de** before; **en —** ahead, forward; **— que . . . (ne)** before; **— un an** before the end of a year
avantage *m.* advantage, honor
avant-garde *f.* vanguard
avant-scène *f.* stage box
avare miserly, sparing
Ave Maria *name of a barrack*
avec with
avenir *m.* future
aventure *f.* adventure
aventurer to venture; **s'—** to venture

avenue *f.* avenue
avertir to notify
avis *m.* opinion
aviser to perceive; **— à** to see about
avoir to have, be; **— à** to have to; **— affaire à** to have to deal with; **— . . . ans** to be . . . years old; **— beau** to be in vain, make no difference; **— froid** to be cold; **— grand soin** to take great care; **— hâte** to be in a hurry; **— lieu** to take place; **— peur** to be afraid; **— raison** to be right; **— tort** to be wrong; **— un prix** 76, 31 to win a prize; **il y a** there is, there are, ago, for; **qu'est ce qu'il y a** 30, 20 what is the matter
avoisiner to be in the neighborhood of
avouer to admit
avril *m.* April
ayoli *m. name of a sauce made of garlic and olive oil*
azuré, -e azure, sky-colored

B

babouche *f.* slipper (*flat soled, without a heel*)
bacchanal *m.* uproar
bague *f.* ring
bah bah
baigner to bathe; **se —** to bathe
baignoire *m.* box (*in a theater*)
bain *m.* bath
baisemain *m.* reception (*a ceremonial court reception at which the guests kiss the sovereign's hand*)
baiser *m.* kiss
baisse *f.* fall in prices (*the subject of speculation by followers of the stock market*)
baisser to lower
bal *m.* ball, dance; **soulier de —** dancing shoe
balancer to hesitate
balancier *m.* pendulum
balbutier to stammer
balcon *m.* balcony
ballade *f.* ballad
balthazar *m.* (Belshazzar's) feast
banel, -e banal, ordinary, commonplace
banc *m.* bench; **— d'huîtres** oyster-bed
banco *m.* bank; 113, 6 'pile'
bande *f.* band, wrapper
banque *f.* bank
banquette *f.* bench
banquier *m.* banker
baptiser to baptize
Baptiste *m. given name*
barbare barbarian, barbarous
barbarie *f.* barbarity; **orgue de —** hand organ
barbe *f.* beard; **se faire la —** to shave
Barbemuche *surname*
barège *m.* wool cloth
baronne *f.* baroness
barre *f.* bar, railing
barrer to obstruct, block
barrière *f.* barrier, gate (*where one used to enter a city*)
Barry, du — *surname*
bas, -se low, lower; *adv.* in a low voice; *m.* stocking; **du haut en —** from top to bottom; **en —** downstairs; **tout —** to oneself, in a very low voice
base *f.* base, foundation
bas-relief *m.* bas-relief
bassin *m.* basin
bataillon *m.* batallion

bateau *m.* ship; **— à vapeur** steamship
bâtiment *m.* building; **peinture en —s** 44, 20 painting on the side of a house
bâtir to build
battre to strike, beat; **— le rappel** to sound the recall
bazar *m.* shop
béant, -e yawning
béat, -e sanctimonious
béatitude *f.* beatitude
beau (bel), belle beautiful, fine, handsome; **avoir —** to be in vain, make no difference; **belle étoile** *or* **belle-étoile** 49, 6 open air, out of doors; **la belle** 121, 19 beautiful one
beaucoup much, a great deal; **— de** many
beaune *m. name of a wine made in Beaune in central France*
beauté *f.* beauty
beaux-arts *m. pl.* fine arts
Bélin *surname*
belles-lettres *f. pl.* belles lettres, literature
belle-soeur *f.* sister-in-law
belvédère *m.* belvedere (*a turret on the top of a house*)
bénéf. = **bénéfice**
bénéfice *m.* profit, benefit performance
bénéficiare f. benificiary
bénit, -e holy
Bérésina *f.* Berezina
Bergami *nickname*
Bernard *given name or surname*
besogne *f.* task, work, affair
besoin *m.* need; **au —** in case of need; **avoir — de** to need
bête *f.* beast, fool; *adj.* stupid, comon; **— à faire cuire** 66, 14 awfully stupid
beurre *m.* butter
bibliothèque *f.* library
bicéphale two-headed
bien well, very, very well, indeed, much, closely, please, do, gladly; *m.* good, blessing, property; **c'est —** all right, very well; **eh —** well, very well; **être —** to be comfortable *or* attractive; **— que** although; **vouloir —** to be willing, be kind enough, please
bien-aimé *m.* beloved
bien-aimée *f.* beloved
bienfait *m.* benefit, kindness
bientôt soon
bière *f.* beer
billard *m.* billiards
billet *m.* note, ticket, (bank) note
biographie *f.* biography
Birn'n *surname*
bis encore; *m.* encore
biseauté, -e counterfeit, sham
blâmer to blame, reprimand
blan-c, -che white; **— d'Espagne** whiting; **colère blanche** white-hot anger; **ours —** polar bear
Blancheron *surname*
blancheur *f.* whiteness, white
blanchir to whiten
blanchisseuse *f.* laundress
blasphème *m.* blasphemy
blesser to wound
bleu, -e *m.* blue; *name given to a poor quality of wine;* **petit —** 24, 32 *name given to a poor quality of wine less highly colored than* **bleu**
blond, -e blonde, fair, light
bobèche *f.* drip dish
Bobino *m. name of a theater near the Luxemburg*
bohème Bohemian; **bohème** *m.* Bohemian; **Bohème** *f.* Bohemia

bohémien *m.* Bohemian
boire to drink
bois *m.* wood
boîte *f.* box; **— à peindre** paint box
bon, -ne good; *adv.* very well; **c'est —** all right
bond *m.* bound
bondir to bound
bonheur *m.* happiness
bonhomme *m.* (old) fellow
boni *m.* surplus
bonjour *m.* good morning
bonnet *m.* bonnet, cap
bonsoir *m.* good evening, good night
bonté *f.* kindness
bord *m.* edge, brim, border; **sur d'autres —s** 51, 23 to other lands
bordeaux *m. name of a wine from the vicinity of Bordeaux*
Borée *m.* Boreas (*God of the north wind in Greek mythology*)
borne *f.* curb-stone
borner to limit, confine
bosquet *m.* grove; **Bosquet** *surname*
bosse *f.* hump; **se donner une —** 21, 23 to have a good square meal
botanique *f.* botany
botte *f.* boot, shoe
bottine *f.* boot, shoe
bouche *f.* mouth
bouchée *f.* mouthful
boucher to stop up
bouchon *m.* cork; 21, 6 tavern
boucle *f.* buckle, lock (*of hair*)
boudoir *m.* dressing-room
boue *f.* mud
bouge *m.* closet, den
bougie *f.* candle; **de la —** 67, 26 candles
boule *f.* ball
Boule *m. name of the furniture of a celebrated French furniture maker (1642–1732)*
boulevard *m.* boulevard
bouleverser to upset
Boulogne, Bois de — *name of a park in Paris*
boum boom
bouquet *m.* bouquet
bouquin *m.* mouthpiece, old book, second hand book
Bourbon *m.* Bourbon
Bourgogne *f.* Burgundy (*a province in eastern France*)
bourreau *m.* executioner
bourrer to stuff, file
bourse *f.* purse
bout *m.* end, piece
bouteille *f.* bottle
boutique *f.* shop
bouton *m.* button
bracelet *m.* bracelet
braise *f.* live coals
branche *f.* branch
bras *m.* arm
brave good, brave
braver to brave
bravo hurrah; *m.* (*pl.* **bravi**) bravo, ruffian
bredouiller to jabber
br-ef, -ève brief; *adv.* in short
brevet *m.* title, commission; 52, 18 patent
bric-à-brac *m.* bric-a-brac
brigand *m.* brigand
briller to shine
brique *f.* brick
brise *f.* breeze
briser to break
Brise-Tout Break-All
brochure *f.* pamphlet
brodequin *m.* shoe (*for women*)
broder to embroider

bronze *m.* bronze
brou *m.* shell, hull
brouillard *m.* fog, register, waste-book (*in book keeping*)
broussaille *f.* thicket, brush; **en —s** bushy
brr an exclamation indicating cold
bruit *m.* noise, sound
brûle-gueule *m.* short-stemmed pipe (*literally* 'burn-gullet')
brûler to burn
brume *f.* mist
brun, -e brown, brown-haired
brusquement abruptly, suddenly
brutal, -e brutal; *m.* brute, beast
brutalement brutally
bruyant, -e noisy, loud
bûche *f.* stick of wood; **— économique** brick (*for slow burning, composed chiefly of powdered coal and clay*)
buffet *m.* sideboard, cupboard
Buffon *surname*
buisson *m.* bush, thicket
bulletin *m.* bulletin, register
Bullion *name of an old seventeenth century mansion now given over to apartments and shops*
bureau *m.* desk, office
buse *f.* blockhead
but *m.* aim, end
butor *m.* dolt, 'boob'

C

c. = centime
ça = cela that; **ah —** oh there, oh pshaw; **après —** after all
cabaret *m.* cabaret, tavern; **— mangeant** restaurant
cabinet *m.* cabinet, booth
cabrer, se — to rear
cabriolet *m.* carriage, cab
cacher to hide, conceal
cachet *m.* seal, card; **courir le —** 25, 7 to give lessons in town
cadencer to render in cadence *or* in rhythm
Cadet *surname*
cadran *m.* dial
cadre *m.* frame
cadu-c, -que decrepit
café *m.* coffee, café
cafetier *m.* café proprietor
cage *f.* cage
cahier *m.* notebook
caisse *f.* chest, money box, safe, bank, treasury, desk (*where money is received or issued*); **— d'épargne** 18, 2 savings bank; **en —** 69, 28 in the treasury; **tenir la —** 67, 5 to run the treasury
caissier *m.* cashier
calembour *m.* pun
calendrier *m.* calendar
câlin, -e wheedling
câliner to wheedle, cajole
calme calm
calmer to calm
calorifère *m.* hot air stove
calotte *f.* skull-cap
calvitie *f.* baldness
camarade *m.* comrade
camisole *f.* camisole; **— de force**
campagne *f.* country, field, campaign; **maison de —** country house; **(se) mettre en —** to start on a campaign
Cana *f. name of a village in ancient Palestine*
canaille *f.* canaille, rabble, scoundrel
cancan *m.* hubbub, scandal
canevas *m.* canvas, sketch, plot
canne *f.* cane
cantatrice *f.* singer

capillaire of the hair
capitaine *m.* captain
capital *m.* capital
capitaliste *m.* capitalist
capitole *m.* capitol
caporal *m.* corporal
capote *f.* cloak, hood, cover; 90, 8 *name given to a victorious play in the game of piquet*
caprice *m.* caprice
capucine *f. see chapter I, note* 65
car for, because
caractère *m.* character, disposition
caravane *f.* caravan
carder to card
cardinal, -e cardinal
carême *m.* Lent, abstinence, denial
caresse *f.* caress
caresser to cherish
carillon *m.* chime
carilloner to ring chimes
carnaval *m.* carnival
Carolus *m. given name*
carpe *f.* carp; **ignorant comme une —** 83, 9 *used colloquially to express dense ignorance*
carré, -e square; **salon —** 93, 11 *name of a room in the Art Gallery of the Louvre; m.* square, landing
carreau *m.* floor, (window) pane
carrément squarely, firmly
carrer to square; **se —** to draw oneself up
carrière *f.* career, course
Carrousel *m. name of a large square in Paris*
carte *f.* card, order, bill of fare
carton *m.* cardboard box
cas *m.* case, situation; **au — où** 13, 27 in the event that
cascade *f.* cascade
caserne *f.* barrack
casquette *f.* cap
casser to break; **— une croûte** to break a crust, eat a bite
castillan-e Castilian
Castor *m.* Beaver (*name of a magazine*)
cauchemar *m.* nightmare
cause *f. cause;* **à — de** on account of; **à — que** because; **pour — de** on account of
causer to cause, discuss, chat; **à —** 29, 32 discussing
causerie *f.* conversation, chatting
cave *f.* cellar
ce (cet), cette that, this, it; **— que** that which, what, which; 57, 33 as long; **— qui** that which, what, which
ceci this
céder to cede, yield, give up
cela that
célèbre celebrated
célébrer to celebrate
célébrité *f.* celebrity
celle (-ci, -là) that, that one, the one, the latter, she
celui (-ci, -là) that, that one, the one, the latter, he
cénacle *m.* club
cendre *f.* cinder
cent (a) hundred; **pour —** per cent
centaine *f.* hundred; **une — de** about a hundred
centième hundredth
centime *m.* centime (*one-fifth of a sou*)
centre *m.* center
cependant however, nevertheless, still
cerbère *m.* Cerberus, watch-dog
cerf *m.* deer
certain, -e certain
certainement certainly; **— que** 90, 29 certainly

cerveau *m.* brain, head
César *m.* Caesar
cesser to cease
ceux *plural of* **celui**
chacun, -e each, each one, every one
chagrin *m.* chagrin, sorrow, grief, distress; **faire du — à** to cause distress to
chagriner to distress
chaîne *f.* chain
chair *f.* flesh, meat
chaise *f.* chair
chaleur *f.* heat
chaleureu-x, -se warm
chambre *f.* room; **— à coucher** bedroom; **femme de —** waiting maid; **robe de —** dressing gown
champ *m.* field; **sur-le-champ** on the spot, at once
champagne *m.* champagne
chance *f.* luck; **une fière —** 77, 29 wonderful luck
chandelier *m.* chandelier
chandelle *f.* candle
changer to change, exchange
changeur *m.* money changer
chanson *f.* song; **voyons la —** 99, 31 let's hear his song
chanter to sing; 24, 6 to say (*indicating something ridiculous*)
chantonner to hum
chapeau *m.* hat
chapellerie *f.* hat industry
chapitre *m.* chapter
chaque each, every
charbon *m.* carbon, coal; **— de terre** coal
charger to charge, load, commission; **se —** to take charge, undertake; **chargé de** 42, 31 loaded with, carrying
charité *f.* charity
charivari *m.* tumult
charmant, -e charming
charme *m.* charm
charmer to charm
charpie *f.* lint
charte *f.* charter
chasse *f.* hunting; **chien de —** hunting dog
chasser to drive, drive away, dismiss
châssis *m.* frame
Chatterton *surname*
chaud, -e hot, warm
chauffage *m.* heating
chauffer to heat
chaussée *f.* street, middle of the street
chausser to put on (*shoes*), adjust; **chaussé,- e de** shod with, wearing on one's feet
chauve bald, worn smooth
chef *m.* chief
chef-d'œuvre *m.* masterpiece
chemin *m.* road, way
cheminée *f.* chimney, chimney-place, fireplace, mantel-piece; **— à la prussienne** 49, 23 grate (*made of iron to be placed in a fireplace*)
chemise *f.* shirt
ch-er, -ère dear, expensive; **mon —** my dear fellow; **pour pas bien —** 21, 7 not very expensively
chercher to seek, look for
chéri, -e dear
chérir to cherish
cheval *m.* horse; **à —** on horseback
chevalet *m.* easel
chevalier *m.* chevalier, knight; **Chevalier** *surname*
chevelure *f.* head of hair
cheveu *m.* hair; **—x hair**

chèvre *f.* goat
chez at, with, in *or* into the house, place, room *or* office of; — **lui** at his house, *etc.;* — **moi** at my house, *etc.;* — **vous** at your house, *etc.*
chicorée *f.* chicory
chien *m.* dog
chiffon *m.* chiffon, rag; 90, 22 trifle
chiffre *m.* figure, amount
chimère *f.* chimera, delusion
chimique chemical
chimiste *m.* chemist
chinois, -e Chinese; 68, 24 small orange
chirurgical, -e surgical
chœur *m.* chorus; **en** — in a body
choisir to choose
choix *m.* choice
chope *f.* beer glass
chorégraphie *f.* dancing, dance
chorus *m.* chorus
chose *f.* thing, article; **autre** — something else
choucroûte *f.* sauerkraut, portion of sauerkraut
chrétien *m.* Christian
chronique *f.* chronicle, society column
ci here, this
cicatrice *f.* scar
Cicéron Cicero
ciel *m.* sky, heaven, heavens
cigare *m.* cigar
cigarette *f.* cigarette
Cinna Cinna
cinq five
cinquantaine *f.* about fifty; **une** — **de** about fifty
cinquante fifty
cinque *see chapter I, note* 45
cinquième fifth
circonflexe circumflex
circonspection *f.* circumspection
circonstance *f.* circumstance
circonvoisin, -e neighboring
cirer to polish; **toile cirée** oil-cloth
Cirque *m.* Circus (*name of a building for equestrian and other entertainments*)
ciseaux *m. pl.* scissors
citation *f.* citation
citer to cite
civet *m.* stewed hare
civil, -e civil
clair, -e clear; m. clearness; — **de lune** moonlight
clairement clearly
clairsemé, -e sparse
clan *m.* clan
clapoter to splash
claquer to snap; **faisant** — **sa bouche** 87, 20 smacking her lips
claqueur *m.* hired applauder
classe *f.* class
clause *f.* clause
clavier *m.* key-board
clef *f.* key
client *m.* patron
clientèle *f.* patronage, patrons, trade
clignement *m.* winking
cloche *f.* bell
clocher *m.* steeple, tower
clore to close
clou *m.* nail
clouer to nail; **cloués et surcloués** 42, 18 pawned and re-pawned
cobalt *m.* cobalt
Coco *m. name of a parrot*
code *m.* code
cœur *m.* heart; **en** — 86, 20 in the shape of a heart
coiffer to wear (*on the head*);

coiffé, -e de wearing (*on the head*)
coin *m.* corner; **jouer aux quatre —s** 74, 33 to play "Pussy wants a corner"
col *m.* neck; **faux —** collar
colère *f.* anger, rage, wrath
collaboration *f.* collaboration
collaborer to share
collection *f.* collection
collège *m.* school
Colline *surname*
colonie *f.* colony
colonne *f.* column
coloris *m.* coloring
coloriste *m.* colorist
combien how, how much, how many
combinaison *f.* combination
combiner to combine, devise
comble full; *m.* height, climax
combustible combustible; *m.* fuel
comédienne *f.* comedian, actress
comestible eatable; **—s** *m. pl.* eatables
comique comic, comical
commande *f.* order
commandement *m.* commandment
commander to order
commandeur *m.* commander
comme as, like, as if; 49, 15 how; **— si** as if
commencement *m.* beginning
commencer to commence, begin
comment how, what
commerce *m.* business
commettre to commit
commissaire *m.* commissioner
commission *f.* errand
commissionaire *m.* porter
commode *f.* chest of drawers
commotion *f.* commotion, shock
commun, -e common
communication *f.* communication
compagne *f.* companion
compagnie *f.* company; **de —** in company
compagnon *m.* companion
comparer to compare
compas *m.* compass
complainte *f.* lament
compl-et, -ète complete
complétement *or* **complètement** completely
compléter to complete
compliment *m.* compliment
compliquer to complicate
composer to compose
compositeur *m.* composer
composition *f.* composition; **amener à —** 116, 19 to bring to terms
comprendre to understand; **faire —** to make understood
compromettre to compromise, endanger
comptabilité *f.* bookkeeping
comptant, -e cash; 100, 13 cash down
compte *m.* account, reckoning, statement, wages; **à —** on account; **à meilleur —** at a better price; **en à —** on account; **faire un —** to settle a bill; **— rendu** review
compter to count, expect; **à — de** counting from; **ce fut à —** 101, 15 it was counting
comptoir *m.* counter, desk; **dame de —** 85, 3 lady at the desk
comtesse *f.* countess
concevoir to conceive
concierge *m.* porter, janitor (*a man in charge of an apartment house*)
conciliabule *m.* conference

conclure to conclude
concorde *f.* concord; **Concorde** *name of a bridge*
condamner to condemn
condition *f.* condition; **à la —** on condition
conducteur *m.* conductor
conduire to conduct
conduite *f.* conduct
conférence *f.* conference
confesser to confess
confidence *f.* confidence
confident *m.* confidant
confier to entrust
confondre to confound
conformer to conform, harmonize; **se —** to conform
confortablement comfortably
confus, -e confused
confusion *f.* confusion
congé *m.* dismissal, ejection, notice (*of ejection*)
connaissance *f.* acquaintance
connaître to know
consacrer to devote
conseil *m.* council, counsel, advice; **—s** advice
consentir to consent
conséquence *f.* consequence
conservatoire *m.* conservatory
conserver to retain
considérable considerable
considérablement considerably
considérer to consider
consigne *f.* orders
consommateur *m.* consumer, patron
consommation *f.* consumption, food and drink; **payer la —** 82, 12 to pay for what one has consumed
consommer to consume, finish
constituer to constitute
consulter to consult; **se —** to consult
consumer to consume, use up
contact *m.* contact
contemplati-f, -ve contemplative
contempler to contemplate
contenance *f.* bearing, front, attitude
contenir to contain
content, -e pleased, happy, satisfied
contenu *m.* contents
continuer to continue
contracter to contract
contradiction *f.* contradiction
contraire contrary
contravention *f.* disagreement
contre against, for, in exchange for
contrée *f.* country
Contrescarpe - Saint - Marcel *name of a street*
contribuable *m.* tax-payer
convaincre to convince
convenable convenient, suitable, satisfactory
convenance *f.* propriety
convenir to agree, be suitable; **convenu** 101, 8 agreed (*in closing a bargain*)
conversation *f.* conversation
conversion *f.* turn
convier to invite
convoiter to covet
copie *f.* copy
copier to copy
coq *m.* cock
coque *f.* shell; 113, 30 bow
Coquenard *name of a street*
coquet, -te coquettish, pretty; *f.* coquette, flirt
coquetterie *f.* coquetry
cor *m.* horn
corbeille *f.* basket
corde *f.* rope, cord, chord, tone,

knack, quality; **danseuse de —** tight rope dancer; **tenir la —** 118, 4 to have the pole (*i. e. the position of advantage on the inside of a race track*)
cordon *m.* cord
corps *m.* body
correspondant *m.* correspondent
corridor *m.* hall
corriger to correct
corrompre to corrupt
corrompu, -e corrupt
corsage *m.* shirtwaist, waist
costume *m.* costume
côté *m.* side, direction, part; **à — de** beside; **d'à —** next door; **de —** aside; **de mon —** on my part; **de son —** on his (her) part; **de votre —** on your part; **du — de** in the direction of; **d'un autre —** in another direction, on the other hand, from another point of view
coter to quote
cotret *m.* fagot, stick
cou *m.* neck
couche *f.* mask, layer
couché, -e lying
coucher to supply with a bed; **chambre à —** bedroom; **se —** to go to bed
coude *m.* elbow
coudre to sew
couleur *f.* color
coulisse *f.* wing (*in theatrical decorations*); **amie de —** 113, 17, theatrical friend
coup *m.* blow, stroke, trick; **— de foudre apoplectique** thundering apoplexy; **— d'œil** glance (of the eye); **— de tonnerre** thunder-clap; **d'un seul —** with one single stroke, all at once; **faire son —** 15, 2 to play his trick; **tout à — all** at once
coupable culpable, guilty
coupe *f.* cut, style, cutting; **mettre en — réglée** to apportion for cutting
coupé *m.* coupé, carriage
couper to cut, cut off, abridge; **je coupe dans tes idées** 45, 14 I catch your ideas
couplet *m.* verse, stanza
coupon *m.* ticket, sample
cour *f.* court, courtyard
courage *m.* courage
courageu-x, -se courageous
courbe *f.* curve
courber to curve, bend; **se —** to bend
courir to run, blow (*of the wind*); **— le cachet** 25, 7 to give lessons in town
courrier *m.* courier
cours *m.* course, circulation
course *f.* trip, distance; **faire la —** to run the errand
court, -e short
courtisan *m.* courtier
courtoisement courteously
cousin *m.* cousin
cousine *f.* cousin
coût *m.* cost
couteau *m.* knife
coûter to cost
coutume *f.* custom, habit
couvert *m.* cover, place, service; **le — est mis** the table is set
couverture *f.* bedspread
couvrir to cover
craindre to fear
crainte *f.* fear
cramoisi, -e crimson
cravatte *f.* necktie
crayon *m.* pencil
créance *f.* credit, claim

créancier *m.* creditor
création *f.* creation
créature *f.* creature
crédit *m.* credit
créditer to credit
créer to create
crème *f.* cream
crémière *f.* milkdealer
Crésus *m.* Croesus
creuser to dig
creux *m.* hollow
cri *m.* cry, voice
cribler to riddle
crier to cry out
cristallin, -e crystalline
critique critical; *f.* criticism
croc *m.* crook, hoop; **en —s** 81, 6 like hooks (*applied to a moustache*)
crochet *m.* hook; 10, 29 basket (*carried by a porter on his back*)
croire to think, believe; **aimer à —** to hope; **en —** to believe, depend upon, trust; **en croirai-je mes yeux** 61, 24 shall I trust my eyes
croisée *f.* window
croiser to cross
croix *f.* cross; 95, 20 cross (*of the Legion of Honor*)
croûte *f.* crust (*of bread*)
cruel, -le cruel
Cudmer *see chapter III, note* 8
cueillir to gather
cuir *m.* leather
cuirasse *f.* cuirass, breast-plate
cuire to cook; **bête à faire —** 66, 14 awfully stupid; **terre cuite** terra cotta
cuisine *f.* kitchen, cooking
cuisinier *m.* cook
cuisinière *f.* cook
culotter to brown
cultiver to cultivate
cupidité *f.* cupidity
curieusement curiously
curieu-x, -se curious
curiosité *f.* curiosity
cygne *m.* swan
cymbale *f.* cymbal
cyprès *m.* cypress

D

dame *f.* lady; ***interjection*** **well,** indeed
damner to damn, condemn
Damoclès *m.* Damocles
Danaé *f.* Danae
danger *m.* danger
dans in, into, at
danser to dance
danseuse *f.* dancer
date *f.* date
Dauphine *name of a street*
davantage more
de of, from, by, with, about, to, for, as, in, on, any
dé *m.* die, domino
débardeur *m.* stevedore
débarrasser to rid; **se —** to get rid
débattre to discuss; **à —** 98, 5 to be discussed
débauche *f.* debauchery
débiter to sell, recite
débordement *m.* overflow, overflowing
debout standing up
débris *m. pl.* remains
décadence *f.* decadence
décès *m.* death
déchirer to tear
décidément decidedly
décider to decide; **se — (à)** to decide
déclamer to declaim
déclarer to declare

décoration *f.* decoration
décourager to discourage
découverte *f.* discovery
découvrir to discover, uncover
décrire to describe
dédaigneu-x, -se disdainful; **faire le(s) —** 106, 17 to act disdainfully
dedans within; **en —** inwardly; **là-dedans** in there, in it
dédommagement *m.* compensation
défaire to unmake
défaut *m.* defect, fault
défendre to forbid
définitivement definitely
défunt, -e deceased
dégager to free, let loose
dégarnir to strip
dégât *m.* damage, havoc, accident
dégourdir to restore circulation to, thaw out
degré *m.* degree
déguisement *m.* disguise
déguiser to disguise
dehors outside, out, away; **au —** outside; **en — de** outside
déjà already
déjeuner to breakfast; *m.* breakfast; **demander à —** 75, 16 to ask for breakfast; **faire monter à —** 35, 3 to have breakfast brought up; **offrir à —** 35, 8 to offer breakfast
delà beyond; **au — de** beyond
délabré, -e ragged
délasser to rest, relax; **se —** to rest, relax
délegué *m.* delegate
déléguer to delegate, send (*as a delegate*)
délicatesse *f.* delicacy
délices *f. pl.* delight; **faire les —** to be the delight
délicieu-x, -se delightful
délire *m.* delirium
demain tomorrow
demande *f.* demand, request
demander to ask, ask for, demand, require, order
démarche *f.* walk, gait, step, proceeding
déménagement *m.* moving
déménager to move out, vacate, move things out of
demeurant *m.* what remains; **au —** in short
demeure *f.* dwelling, abode, home
demeurer to live, remain
demi, -e half; **à —** half, half way; **demi-choucroûte** *f.* half portion of sauerkraut; **demi-gibelotte** *f.* half portion of rabbit stew; **(cinq) heures et demie** half-past (five); **demi-heure** *f.* half (an) hour; **demi-pouce** *m.* half inch; **demi-tasse** *f.* demitasse
denier *m.* *name of an old coin*
Denis *m.* Dennis
dénoûment *m.* dénouement, climax, outcome
dent *f.* tooth
dentelle *f.* lace
dentiste *m.* dentist
départ *m.* departure
département *m.* department
dépêche *f.* dispatch, message
dépêcher to dispatch; **se —** to hurry, hasten
dépeindre to depict
dépense *f.* expense; **en —** expended
dépenser to spend
déplorable deplorable
déployer to unroll, unfold
déposer to deposit, lay, lay down, put down

dépouiller to despoil
déprimer to flatten
depuis since, for, from, before; **— que** since
député *m.* deputy
déranger to disarrange, disturb, inconvenience; **se —** to get out of position; **se — de** to depart from
derni-er, -ère last, top; **le —** 95, 10 the last word
dérober to steal (away)
dérouter to throw off the track, disconcert
derrière behind; m. rear, back; **sur le —** 111, 24 at the back of the house
dès from, upon, beginning with; **— le matin** in the morning; **— que** as soon as
désagréable disagreeable
désappointement *m.* disappointment
descendre to descend, come down, take down
désespéré, -e in despair
désespérer to drive to despair; **se —** to despair
désespoir *m.* despair
désigner to designate, point to, point out
désir *m.* desire
désirer to desire, like
désoler to distress
désordre *m.* disorder
désormais from now (*or* then) on
dessein *m.* design, intention
dessert *m.* dessert
dessin *m.* design, sketch
dessiner to design
dessous under, below; **au-dessous de** below; **là-dessous** thereunder; **sens dessus —** upside down
dessus over, above; **au-dessus (de)** above; **sens — dessous** upside down
destiner to destine, intend, mean
détacher to detach
détail *m.* detail
détailler to detail
détente *f.* trigger; **à double —** hair trigger
détourner to turn aside
dette *f.* debt
deuil *m.* mourning
deux two; **à nous —** for (*or* between) the two of us; **entre eux —** between the two of them; **tous les —** both
deuxième second
devant before, in front of; **ci-devant** previously, recently
développer to develop; **se —** to develop
devenir to become; **— fou** to go mad
deviner to guess
deviser to chat, talk
devoir to owe, be obliged, have to; **je dois** I am to, ought, should, must; **je devais** I was to, *etc.;* **je devrais** I ought to, should; **j'ai dû** I must have; **j'aurais dû** I ought to have
dévorer to devour
dévot, -e devout
dévotion *f.* devotion
dévouement *m.* devotion
diable *m.* devil, the devil, the deuce
dialoguer to converse
diamant *m.* diamond
dictionnaire *m.* dictionary
didactique didactic
dièse *m.* sharp (*on a piano*)

Dieu *m.* God, heavens; **Hôtel-Dieu** hospital; **le bon —** God; **— merci** thank God; **mon —** Good Lord, gracious
différent, -e different
difficile difficult
difficulté *f.* difficulty
difformité *f.* deformity, abortion
digne worthy
dignité *f.* dignity
dilapider to squander
dimanche *m.* Sunday
dîme *f.* tithe
dîner to dine; *m.* dinner; **à —** some dinner; **offrir à —** to offer dinner
diplomate *m.* diplomat
dire to say, tell, recite; **c'est-à dire** that is to say; **pour ainsi —** so to speak; **vouloir —** to mean
directeur *m.* director
diriger to direct; **se —** to make one's way
disciple *m.* disciple
discours *m.* speech, observation
discr-et, -ète discreet
discrétion *f.* discretion; **à —** at will
discussion *f.* discussion
discuter to discuss, debate, argue
disparaître to disappear
dispenser to dispense; **se — de** to dispense with, refrain from
disposer to dispose, arrange; **se —** to prepare
disputer to dispute (with)
disserter to discuss
dissimuler to hide
distillateur *m.* distiller
distinctement distinctly
distingué, -e distinguished
distinguer to distinguish
divan *m.* divan
divers, -es various, miscellaneous, different
dix ten
dix-huit eighteen
dix-sept seventeen
dizaine *f.* about ten
do *m.* do (*musical note*)
doigt *m.* finger
doléance *f.* grievance
Dolorès *f.* Dolores
domaine *m.* domain
domestique *m.* servant
domicile *m.* domicile
domino *m.* domino
dommage *m.* damage; **c'est —** it is a pity
donc then, please, too
donner to give; **— dans** to open upon; **— l'assaut à** to launch an assault upon; **— peine à** to distress; **se — rendez-vous** to make an appointment; **se — une bosse** 21, 23 to have a good square meal
dont whose, of whom, from whom, of which, with which
dorer to gild
dorloter to coddle
dormir to sleep, lie inactive; **— la grasse matinée** 103, 2 to sleep late in the morning
dos *m.* back
double double
doubler to double, understudy
douceur *f.* sweetness; **—s** sweetness, delight
douche *f.* shower bath
douleur *f.* pain
douleureu-x, -se grievous, painful
doute *m.* doubt
douter (de) to doubt; **se — (de)** to suspect
douteu-x, -se doubtful

dou-x, -ce sweet, gentle, mild, affable, soft
douzaine *f.* dozen
douze twelve
dragon *m.* dragoon
dramatique dramatic
drame *m.* drama
drapeau *m.* flag
dresser to draw up, arrange, heap; **se —** to draw oneself up, stand up
droit, -e right, straight; *m.* right
drôle strange; *m.* rogue, rascal
du = de + le of the, some, any
dû, due due, owing
duchesse *f.* duchess
duo *m.* duet
dupe *m.* dupe
dur, -e hard
Durand *surname*
durée *f.* duration
durer to go on, last
dureté *f.* hardness

E

eau *f. water*
eau-de-vie *f.* brandy
ébahir to wonder, amaze
ébaucher to sketch, outline, begin
éblouir to dazzle
ébullition *f.* boiling; **en —** boiling
écarquiller to open wide
échafauder to scaffold, place (*like a scaffold*)
échange *m.* exchange
échantillon *m.* sample
échapper to escape; **s'—** to escape, overflow
écharpe *f.* scarf
échelle *f.* ladder, scale
écho *m.* echo; 33, 22 like an echo
échoir to fall due
éclair *m.* flash
éclaircissement *m.* enlightenment; **quelques —s** some enlightenment
éclairer to illumine, enlighten
éclat *m.* burst, clash
éclatant, -e brilliant
éclater (de) to burst, burst out
éclectique eclectic
école *f.* school; **maître d'—** school teacher
économe economical
économie f. economy
économique economical
écnomiser to save
économiste *m.* economist
écossais, -e Scotch
écouler to flow out; **s'—** to pass, elapse
écouter to listen, listen to, hear
écrevisse *f.* crayfish; **buisson d'—s** dish of crayfish in pyramid form
écrier, s'— to cry, cry out
écrire to write
écritoire *f.* inkstand; 96, 26 *used as a symbol of the writer's career*
écriture *f.* handwriting
écrivain *m.* writer, scribe
écu *m.* crown (*name of an old French coin, and applied sometimes now to three francs*)
éditeur *m.* editor, publisher
édition *f.* edition
éducation *f.* education
édulcorer to sweeten
éduquer to educate, train
effet *m.* effect, article; **—s** *m. pl.* effects, belongings; **en —** in fact, in truth
effeuiller to strip of leaves
efforcer, s'— to strive
effrayer to frighten; **s'—** to be frightened

effroi *m.* fright
effrontément with effrontery
effroyable frightful
égal, -e equal; **c'est —** it's all the same, never mind
égaliser to equalize, make equal
égayer to cheer
églantine *f.* eglantine
église *f.* church
égrener to husk; 86, 20 to repeat
Égyptien *m.* Egyptian
eh eh; **— bien** well, very well
élan *m.* outburst, transport
élasticité *f.* elasticity
élastique elastic
électrique electric
élégamment elegantly
élégant, -e elegant
élégiaque elegiac
élément *m.* element
élève *m.* pupil
élevé, -e raised, bred, high
élever to elevate, raise; **s'—** to arise
elle she, her, it; **elle-même** herself, itself; **sa main à —** 75, 26 her hand; **—s** they, them
éloigner to remove; **s'—** to depart
éloquence *f.* eloquence
Élysée *m.* Elysium
émailler to adorn
émarger to receipt, sign a receipt for, collect (*a sum of money*)
embarras *m.* embarrassment, obstacle; **tirer d'—** to get out of difficulty, free from difficulty
embarrasser to embarrass
embaumer to perfume
embellir to beautify
emblée *f.*, **d'—** instantly
embouchure f. outlet, mouth; **à l'— des manches** 26, 7 at the armpits
embrasser to embrace
éminence *f.* eminence
emménager to move in
émoi *m.* emotion, flurry, commotion
émotion *f.* emotion
émousser to blunt; **s'—** to be blunted
émouvoir to move, excite
emparer, s'— de to take possession of, seize
empêcher to prevent; **s' —** to refrain
empereur *m.* emperor
emplette *f.* purchase
emplir to fill
employé *m.* employee, clerk
employer to employ, use
empocher to pocket
empoigner to seize, grasp
emporter to take away, carry away, carry off; **s'—** to be carried away, fly into a passion
empressé, -e eager
emprunt *m.* borrowing
emprunter to borrow
ému, -e moved
en in, into, at, on, to, while, by, of, of it *or* them, by it *or* them, from it *or* them, from there, some, any
encadrer to frame, envelop
enchantement *m.* enchantment
encombre *m.* hindrance
encombrer to encumber
encore still, yet, again, too, besides, more, still more, in addition; **— un, -e** one more, another
encourager to encourage
encre *f.* ink

endormi, -e gone to sleep, sleeping, asleep
endormir to put to sleep; **s'—** to go to sleep
endosser to put on
endroit *m.* place, spot
enfant *m. or f.* infant, child
enfermer to shut in; **— à double tour** to lock in
enferrer to pierce, ensnare
enfin at last, at length, after all, in short, well
enfoncer to bury
engager to engage (in), urge, wager, lay (a wager); **s'—** to be engaged
engelure *f.* chilblain
engloutir to swallow up
engourdi, -e slothful, heavy
engourdir to benumb, enervate
enhardir to embolden; **s'—** to become emboldened
enlever to carry away, remove, take away
ennuyer to annoy, bore
ennuyeu-x, -se annoying, boring
énorme enormous
enrichir to enrich
enseigne *f.* sign
enseigner to teach
ensemble together; *m.* accord, unit
ensevelir to bury
ensuite then
entaille *f.* gash
entendre to hear, understand; **faire —** to allow to be heard; **— frapper** to hear a knock
enterrement *m.* burial
enthousiasme *m.* enthusiasm
enti-er, -ère entire; *m.* whole; **tout —** the whole
entonner to intone, strike up, begin to sing
entourer to surround
entr'acte *m.* intermission
entrailles *f. pl.* entrails, bowels, depths
entraîner to drag away
entre between, among, within, in
entrée *f.* entry, entrance; **—s** entry
entreprendre to undertake
entrer to enter; **— dans** to enter
entresol *m.* mezzanine floor
entretenir to maintain, support, carry on, converse with
entretien *m.* conversation
entr'ouvrir to open (a little); **s'—** to open (a little)
enveloppe *f.* envelope
envelopper to envelop
envenimer to envenom; **s'—** to become bitter
envers toward
envie *f.* envy, longing
environ about, approximately
environnant, -e surrounding
envoler, s' — to fly away
envoyé *m.* envoy
envoyer to send
Éole *m.* Aeolus (*God of the winds, in Greek mythology*)
épancher to pour out
épanouir to expand; **s'—** to spread out, open
épargne *f.* saving; **caisse d'—** savings bank
épaule *f.* shoulder
épiderme *m.* epidermis, skin
épigramme *f.* epigram
épitaphe *f.* epitaph
épître *f.* epistle
époque *f.* epoch, time
épouse *f.* spouse, wife
épouvantable terrible
épouvante *f.* fright, terror
époux *m.* spouse, husband

épreuve *f.* proof
éprouver to experience, feel
équateur *m.* equator
équilibre *m.* balance
équipage *m.* outfit
équipement *m.* equipment
équivoque equivocal
errant, -e errant, stray, flitting, wandering
erreur *f.* mistake
ès into
escalier *m.* stair, staircase; **—s** stairs
escapade *f.* escapade
esclavage *m.* slavery
escorter to escort
escrime *f.* fencing, repartee
Espagne *f.* Spain; **blanc d'—** whiting
espagnole *f.* Spanish woman, Spaniard
espèce *f.* species, sort, kind, coin; **—s** money, cash, coins
espérance *f.* hope
espérer to hope
esprit *m.* mind, spirit, grace; **— de vin** alcohol
esquire *m.* esquire (*borrowed from English and used with a name that has not a title of nobility*)
essayer to try, try out, try on, test
estaminet *m.* café
estime *f.* esteem
estomac *m.* stomach
et and
établir to establish
établissement *m.* establishment
étage *m.* story, flight, floor
étalage *m.* shop window, display window
étalagiste *m.* (book) stall-keeper
étaler to display
état *m.* state, statement, career; **être en — de** to be in a position to, be able to
etc. etc.
été *m.* summer
éteindre to extinguish; **s'—** to go out
étendre to extend, stretch out; **s'—** to extend
éternellement eternally
éternité *f.* eternity
étincelle *f.* spark
étiquette *f.* etiquette
étoffe *f.* material
étoile *f.* star; **belle étoile** *or* **belle-étoile** 49, 6 open air, out of doors
étoilé, -e starry
étoiler to crack
étonnant, -e astonishing
étonnement *m.* astonishment
étonner to astonish
étrange strange
étrang-er, -ère strange; *m.* stranger, foreigner
être to be; **— à** to belong to, be at the service of; **— à l'aise** to be at ease *or* comfortable; **— bien** to be comfortable *or* attractive; **— de** to be one of, have a part in; **la lune en —** 5, 20 the moon is part of it; **en — à** to be at, have arrived at; **— en état de** to be in a position to, be able to; **— en train** to be at work; **— plus loin** to go further; **avoir été dîner** to have gone to dine; **c'est que** the fact is that; **est-ce que** *used to introduce a question;* **n'est-ce pas** isn't it so, *etc;* **où en est-il** 51, 30 how far along is it; **soit** so be it; **soit . . . soit** either . . . or

étrenne *f.* New Year's gift
étrenner to give a present (*especially applied to New Year's gifts*), stand treat
étrier *m.* stirrup; **à franc —** at full speed
étude *f.* study
étudier to study
eux they, them, themselves; **eux-mêmes** themselves
évangélique evangelical, of the gospel
éveillé, -e awake
éveiller to awaken, wake up
éventaire *m.* flat basket
Ève *f.* Eve
évidemment evidently
éviter to avoid, spare, save
exactement exactly
exagérer to exaggerate
examen *m.* examination
examinateur *m.* examiner
examiner to examine
exaucer to grant
excellent, -e excellent
exceller to excel
excentrique eccentric
excepté except
exciter to excite
exclamer to exclaim
exclusion *f.* exclusion
exclusivement exclusively
excuse *f.* excuse
excuser to excuse
exécuter to execute, play
exécution *f.* execution
exemplaire *m.* copy
exemple *m.* example
exercer to exercise, carry on, carry out
exhiber to exhibit, show, make known, tell
exigeant, -e exacting
exigence *f.* unreasonableness
exiger to demand, require
exigible indispensable
existence *f.* existence
exister to exist
ex-jambonneau *m.* what was once a small ham
expansion *f.* expansion
expérience *f.* experience, experiment
expirer to expire
explication *f.* explanation
expliquer to explain; **s'—** to understand
exploiter to exploit
exposé *m.* declaration
exposer to expose, expose to view
exposition *f.* exposition
expressément expressly
exprimer to express
exquis, -e exquisite
extasie, -e in ecstasy
extra *m.* extra; **faire un —** 87, 10 to have something extra; **ne faire aucun —** 59, 11 not to indulge in any extra expense
extralégalement extra-legally
extra-littéraire extra-literary
extraordinaire extraordinary; **par —** by exception
extrêmement extremely
extrémité *f.* end

F

fa *m.* fa (*musical note*)
fabriquer to compose
fabuleu-x, -se fabulous
face *f.* face, side; **en — de** in front of, facing; **à pile ou —** 37, 25 heads or tails
fâché, -e angry, sorry
fâcher to anger; **se —** to become angry, get angry

facile easy
facilement easily
faciliter to facilitate
façon *f.* fashion, way; 101, 1 work; **à la —** after the fashion; **de cette —** in this way; **de — à** in such a way as to; **de — (que)** so (that)
facture *f.* bill
fagot *m.* fagot, bundle of sticks
faible feeble, insignificant; *m.* weakness; **prendre par son —** 110, 23 to get on the right side of him
faillir to fail, come near
faim *f.* hunger
fainéant *m.* good-for-nothing
faire to do, make, compose, form, give, cause, take, say, tell, put on, have, let, cause, be (*of the weather*); **— à** to make a difference to, matter to; **— attention** to pay attention; **comment —** 54, 23 how can we do it; **— connaître** to make known; **— de la musique** to play music; **— entendre** to allow to be heard; **— figure** to make a face; **— la carte** to make out the bill of fare; **— la course** to run the errand; **laisser —** to let alone, allow to act; **— la remarque de** to remark about, mention; **— ta Russie** 114, 8 to make your Russian tour; **— le chemin** to travel the road; **— le(s) dédaigneux** 106, 17 to act disdainfully; **— les délices** to be the delight; **— mourir** to cause (some one's) death; **ne — aucun extra** 59, 11 not to indulge in any extra expense; **ne — que** to do nothing but, only; **— nuit** to be night *or* dark; **— part à** to inform; **faisons pour cent mille francs de dépense** 88, 4 let us spend a hundred thousand francs; **pourquoi —** for what purpose; **— que** to be the cause that; **sans — ni une ni deux** 21, 24 without further ado; **— savoir** to make known; **— son coup** 15, 2 to play his trick; **— trêve** to call a truce; **— un compliment** to pay a compliment; **— un compte** to settle a bill; **— un extra** 87, 10 to have something extra; **— un pied de nez à** to thumb one's nose at; **— un procès à** to bring suit against; **se —** to become, come about, happen; **se — hommage de** to treat oneself to; **se — la barbe** to shave
faiseur *m.* maker
fait *m.* feat, act, fact; **au —** in fact, indeed, by the way; **être de —** to be true; **tout à —** completely, quite
faix *m.* burden
falloir to be necessary; **il le faut** it is necessary; **il me faut** I need
fameu-x, -se famous
famili-er, -ère familiar; *m.* familiar, intimate
familièrement familiarly
famille *f.* family
fanfare *f.* fanfare, flourish
fantaisie *f.* imagination
fantasmagorie *f.* phantasmagoria
farceur *m.* trickster
farouche fierce, wild, savage
fatal, -e fatal
fatalité *f.* fatality
faubourg *m.* suburb, quarter

fausset *m.* falsetto
faute *f.* mistake
fauteuil *m.* arm-chair
fau-x, -sse false; **— col** collar
faveur *f.* favor; **en — de** in consideration of
favorable favorable
favori *m.* favorite, pet; **—s** whiskers
féerique fairy
félicitation *f.* congratulation
féliciter to congratulate
féminin, -e feminine
femme *f.* woman, wife; **— de chambre** waiting maid
fendre to split, break
fenêtre *f.* window
fer *m.* iron
Ferdinand *m.* Ferdinand
fermer to shut, close; **se —** to shut, close
féroce ferocious, awful
férocité *f.* ferocity
festin *m.* feast, banquet
festival *m.* festival
fête *f.* feast, celebration
feu *m.* fire, firing; **— d'artifice** 39, 9 display of fireworks; **mettre le —** to set fire
feuillage *m.* foliage
feuille *f.* leaf, sheat, surface, fold; **— de vigne** vine leaf
feuilleton *m.* feuilleton (*part of a newspaper devoted to serial literature*); **plan de —** plot for a serial story
feutre *m.* felt hat
fiancé *m.* fiancé
ficelle *f.* string
ficher to fasten
fichtre the devil
fi-er, -ère proud; **une fière chance** 77, 29 wonderful luck
fiévreu-x, -se feverish
figure *f.* figure, face
fil *m.* thread
filer to go quickly
fille *f.* girl, daughter; **jeune —** girl
fillette *f.* young girl
fils *m.* son
filtre *m.* filter
fin, -e fine, delicate
fin *f.* end, purpose; **à la —** in short; **des —s** 20, 17 at the end
final *m.* finale, last air
finir to finish, end
firman *m.* edict
fixe fixed
fixer to fix
flairer to scent
flambeau *m.* candlestick
flamber to blaze
flamme *f.* flame
flammèche *f.* spark
flanc *m.* side
Flandre *m.* Flanders
flatter to flatter
flatteu-r, -se flattering
Flavius *m.* *Roman given name*
flèche *f.* arrow
fléchir to bend, flinch
fleur *f.* flower; **à la — de l'âge** in the prime of life
fleurir to bloom
fleuriste *m. or f.* florist
fleuve *m.* river
floral, -e floral
flot *m.* wave
flottant, -e floating
flotter to float
flûte *f.* flute
foi *f.* faith, security; **ma —** good heavens, indeed, my word; **profession de —** profession of faith (*i. e. declaration of political or religious convictions*)

fois *f.* time; **à la —** at the same time; **une —** once
folie *f.* folly, foolish thing *or* act
folio *m.* folio
folliculaire *m.* scribbler
fonction *f.* function
fond *m.* bottom, heart, basis; **—s** funds; **à —** thoroughly; **au —** at the rear
fonder to found
fondre to melt; **— en larmes** to weep copiously
Fontenay-aux-Roses *m. name of a small town near Paris*
force *f.* force, strength, quantity; **à — de** through, on account of, by dint of; **de première —** 107, 22 of the highest skill; **être de — à** 116, 12 to be capable of
forcer to force
formalité *f.* formality
forme *f.* form, shape
former to form
formule *f.* formula
formuler to formulate
fort, -e strong, good, able, serious, heavy; **fort** *adv.* very (much)
fortune *f.* fortune
fou (fol) folle mad, crazy, foolish
foudre *f.* thunderbolt; **coup de — apoplectique** thundering apoplexy
foudroyant, -e overwhelming
foudroyé, -e thunderstruck
foudroyer to overwhelm
fouiller to search, rummage
foulard, *m.* handkerchief (*of silk*)
foule *f.* crowd, number
fouler to trample; **— à ses pieds** to trample under one's feet
four *m.* oven
fourneau *m.* stove
fournir to furnish
fourrer to stuff, fit
fourrure *f.* fur
foyer *m.* lobby, center
fr. = franc
fraction *f.* fraction
fractionner to divide into fractions
fragment *m.* fragment
fr-ais, -aîche fresh; *m.* expense
franc, franche frank; **à — étrier** at full speed
franc *m.* franc (*19.3 cents at par*)
français, -e French
France *f.* France
franchise *f.* frankness
frapper to strike, knock, afflict; **entendre —** to hear a knock
fraternel, -le fraternal
frayeur *f.* fright
fredonner to hum
frémir to tremble, quiver
frénésie *f.* frenzy
fréquemment frequently
fréquent, -e frequent
fréquenter to frequent
frère *m.* brother
fringale *f.* hunger
fripier *m.* old clothes dealer
frissonner to shiver
froid, -e cold; *m.* cold; **avoir —** to be cold
froidement coldly
froisser to crush
front *m.* forehead, brow, front
Frontin *given name*
frou-frou *m.* rustle
frugalement frugally
fruit *m.* fruit, result
fugiti-f, -ve fugitive; *m.* fugitive
fumer to smoke; **tabac à —** smoking tobacco
fumeur *m.* smoker
fumiste *m.* chimney builder; **poêlier —** stovemaker and chimney builder

fumisterie *f.* chimney business
funèbre funereal
funeste deadly
fur *m.*, **au — et à mesure de** in proportion to
fureur *f.* fury
furibond, -e furious
furieusement furiously
furieu-x, -se furious
fusée *f.* rocket, explosion
fusil *m.* gun; **pierre à —** flint
futur, -e future

G

gages *m. pl.* wages
gagner to gain, earn; **— le large** 10, 4 to stand out to sea, flee
gai, -e gay
gaiement gaily
gain *m.* gain
galant, -e gallant
galanterie *f.* gallantry
galerie *f.* (art) gallery
galop *m.* gallop (*a lively dance*)
Gamache *m.* Camacho
gambader to skip
gamme *f.* gamut, scale
gant *m.* glove
ganter to glove, cover
garantie *f.* guaranty
garantir to guarantee, protect
garçon *m.* boy, fellow, waiter
garde *f.* guard, policeman, care; **avant-garde** *f.* vanguard; **prendre — à** to be careful with
garder to guard, keep, retain
garnir to garnish, occupy, fill; **en garni** furnished
garniture *f.* garniture, set of trimmings
Garrick *see chapter II, note* 8
gâter to spoil
gauche left
gazette *f.* gazette, newspaper
geler to freeze
gendarme *m.* policeman
gendarmerie *f.* police
gêner to annoy, inconvenience
général, -e general
généreusement generously
généreu-x, -se generous
générosité *f.* generosity
genèse *f.* genesis, beginnings
génie *m.* genius
genou *m.* knee; **à —x** on one's knees
genre *m.* kind
gens *m. or f. pl.* people
gentilhomme *m.* nobleman
germe *m.* germ, seed
geste *m.* gesture
gibelotte *f.* rabbit-stew
gigantesque gigantic
gilet *m.* vest
glace *f.* ice, glass
glacial, -e icy
glacis *m.* glazing, transparent coating
glapir to screech
glisser to slip, glide, whisper
globe *m.* globe
gloire *f.* glory
Golconde *f.* Golconda
gonfler to swell out, fill
gosier *m.* gullet, throat
gourmet *m.* epicure
gousset *m.* vest-pocket
goût *m.* taste
goutte *f.* drop
gouvernement *m.* government
grâce *f.* grace; **— à** thanks to; **Grâce** Grace (*a name given to certain goddesses in Greek mythology*)
gracieuseté *f.* favor, kindness
gracieu-x, -se gracious
grade *m.* title

graisse *f.* fat
grammaire *f.* grammar
grand, -e large, big, tall, great, long
grandeur *f.* size, greatness
gras, -se fat; **dormir la grasse matinée** 103, 2 to sleep late in the morning
gratification *f.* gratuity, tip, reward
gratis free, for nothing
gratuit, -e free
grave grave, serious
gravement gravely
graver to engrave, print (*music*)
gravité *f.* gravity
gravure *f.* engraving
gré *m.* pleasure; **savoir — à** to be grateful to
gre-c, -cque Greek
gredin *m.* rascal; **— de** confounded
grenadier *m.* grenadier
grever to burden
grief *m.* grievance
grimace *f.* grimace
grincer to grate, squeak; **se —** to squeak
gris, -e gray, drunk
grogner to growl
gros, -se thick, stout
grossi-er, -ère coarse
grossièreté *f.* impoliteness, discourtesy, rudeness
groupe *m.* group
grouper to collect
guéridon *m.* small table
Guérin surname
guerre *f.* war
guerrier *m.* warrior
guetter to watch for
gueux *m.* beggar, scoundrel
guignon *m.* bad luck, fate
guillotiner to guillotine
Gustave *m.* Gustavus

H

habile skilful
habileté *f.* ability
habiller to dress; **s'— to dress**
habit *m.* suit, costume, dress, coat; **—s** clothes
habitation *f.* habitation
habiter to inhabit, live, dwell
habitude *f.* habit
habitué *m.* habitué, patron, customer
habituellement habitually
habituer to accustom
hâcher to chop up
haillon *m.* rag
halle *f.* market; **— aux bouquins** second-hand book stalls
hamac *m.* hammock
hameçon *m.* fishhook, hook; **jeter des —s** 22, 24 to throw out hooks (*i. e.* to invite)
Hamlet *m.* Hamlet
hanté, -e haunted, ghostly
hareng *m.* herring
hasardeu-x, -se hazardous
hasard *m.* chance, risk; **à tout —** at any risk; **par —** by chance
hasarder to hasard
hasardeu-x, -se hazardous
hâte *f.* haste; **à la —** hastily; **avoir —** to be in a hurry
haut, -e high; **d'en —** above; **du — en bas** from top to bottom; **en —** at the top, up; **là-haut** up there; **plus —** above; **tout —** out loud; **tout en —** at the very top; **à haute voix** in a loud voice
hauteur *f.* height
hé hallo, hey
hein what, hallo

hélas alas
herbe *f.* grass
hériter to inherit
héros *m.* hero
hésiter to hesitate
heure *f.* time; **à cette —** now; **à la bonne —** all right; **à l'—** by the hour; **cinq —s** five o'clock; **de bonne —** early; **deux —s** two o'clock; **tout à l'—** just now, very soon, at once
heureusement fortunately
heureu-x, -se happy, fortunate
heurter to strike (against); **se — à** to strike against
hier yesterday; **— soir** last evening, last night
hiérarchie *f.* hierarchy
hilarité *f.* hilarity
hirondelle *f.* swallow
histoire *f.* history, story
historier to adorn
hiver *m.* winter
Hoffmann *surname*
homard *m.* lobster
homicide *m.* homicide
hommage *m.* homage; **se faire — de** to treat oneself to
homme *m.* man, fellow
honnête honest
honneur *m.* honor; **tenir à —** to consider (it) a matter of honor
honorer to honor
honte *f.* shame
Horace *m.* Horace
horizon *m.* horizon
horizontal, -e horizontal
horloge *f.* clock
horreur *f.* horror, horrors
hors de out of
hospitali-er, -ère hospitable
hospitalité *f.* hospitality
hostilité *f.* hostility
hôte *m.* host, lodger, guest
hôtel *m.* building, mansion, hotel
Hôtel-Dieu *m.* hospital
Huguenot *m.* Huguenot
huile *f.* oil; **à l'—** with oil, in oil
huissier *m.* bailiff, constable
huit eight; **— jours** a week
huître *f.* oyster
humain, -e human
humanité *f.* humanity
humble humble
humeur *f.* humor
humide damp
humiliant, -e humiliating
hurler to howl, cry, yell

I

ici here; **ici-bas** here below; **d'— à** from now to; **jusqu'—** up to now
idéal ideal; *m.* ideal
idée *f.* idea
idem likewise, the same
idiome *m.* language
idiot *m.* idiot
idiotisme *m.* idiocy, stupidity
idole *f.* idol
ignorant, -e ignorant
ignorer to be ignorant of
il he, it, there
île *f.* island
illicite illicit
illusion *f.* illusion
illustration *f.* illustration
image *f.* likeness, image, picture, metaphor
imagination *f.* imagination
imaginer to think of; **s'—** to imagine
imbécile *m.* imbecile
imitation *f.* imitation
imiter to imitate

immédiatement immediately
immense immense
immeuble *m.* real estate
immobile motionless
immortel, -le immortal
impassibilité *f.* impassibility
impatience *f.* impatience
impatienter to make impatient; **s'—** to become impatient
impérial, -e imperial
impertinence *f.* impertinence
impossible impossible
imprécation *f.* imprecation
improvisation *f.* improvisation
improviser to improvise
imprudence *f.* imprudence
imprudent, -e imprudent
inabordable inaccessible, impossible to approach
inaccoutumé, -e unaccustomed
inaltérable unalterable, unquenchable
incendiaire incendiary
incendie *m.* fire
incident *m.* incident
inclination *f.* bow
incliner to incline; **s'—** to bow
incognito *m.* incognito
inconnu, -e unknown
inconvenance *f.* impropriety
incroyable incredible
inculper to accuse
inculquer to inculcate
indication *f.* indication
indien, -ne Indian
indifférence *f.* indifference
indifférent, -e indifferent
indignation *f.* indignation
indigné, -e indignant
indiquer to indicate, point to
indiscrétion *f.* indiscretion
indisposition *f.* indisposition
individu *m.* individual
indoustan-arabe Hindustani-Arabic
industrie *f.* industry
industrieu-x, -se ingenious
inébranlable not to be shaken
inédit, -e unedited, unknown (*referring to an author whose works are unpublished*)
inférieur, -e lower
infiniment infinitely
influence *f.* influence
information *f.* information
informer to inform; **s'—** to find out
infortuné, -e unfortunate
infraction (à) *f.* infraction (of)
ingénieur *m.* engineer
ingénieu-x, -se ingenious
ingrat *m.* ingrate
ingratitude *f.* ingratitude
inhabitable uninhabitable
inhospitali-er, -ère inhospitable
initier to initiate
injure *f.* injury, insult
innocent, -e innocent
innocenter to declare innocent
inoccupé, -e unoccupied
inopportun, -e inopportune
inouï, -e unheard of
inqui-et, -ète uneasy
inquiéter to disturb, disquiet, make uneasy; **s'—** to be uneasy
inquiétude *f.* anxiety, uneasiness
insaisissable elusive
inspiration *f.* inspiration
inscrire to inscribe, register, note down
insensé *m.* fool
insensible insensible
insidieu-x, -se insidious
insistance *f.* insistence
insister to insist; **— pour** to insist upon

insolemment insolently
insolence *f.* insolent remark
insolvable insolvent
inspiration *f.* inspiration
inspirer to inspire
installer to instal
instant *m.* instant
instituer to establish
institut *m.* institute
instructi-f, -ve instructive
instruire to instruct
instrument *m.* instrument
instrumental, -e instrumental
insulaire *m.* islander
insulte *f.* insult
insulter to insult
intégralement entirely
intelligence *f.* intelligence, intellect
intelligent, -e intelligent
intendance *f.* administration
intention *f.* intention; **dans cette —** with this intention
interdire to forbid
intéressant, -e interesting
intéresser to interest
intérêt *m.* interest
intérieur, -e interior; *m.* interior; **d'—** domestic, inner, informal; **toilette d'—** underclothing
intérieurement inwardly
interminable interminable
interroger to question
interrompre to interrupt
intervenir to intervene
intime intimate, private
intituler to entitle
intolérable intolerable
intonation *f.* intonation
intrigant *m.* intriguer, trickster
introduire to introduce
inutile useless
inventaire *m.* inventory
inventer to invent
invention *f.* invention
invitation *f.* invitation
inviter to invite
invulnérable invulnerable
-ique, en — in -ique (*referring to a word with the termination* **-ique**)
Iris *f.* Iris
ironie *f.* irony
ironique ironical
irriter to irritate
Isidore *m.* Isidor
isoler to isolate
ivoire *m.* ivory
ivre drunk
ivresse *f.* intoxication, drunkenness

J

Jacob *m.* Jacob
Jacques *m.* James
jacquot *m.* parrot
jadis once, previously
jalou-x, -se jealous
jamais never, ever; **ne . . . —** never
jambe *f.* leg
jambon *m.* ham
janvier *m.* January
jaquette *f.* jacket, short coat
jardin *m.* garden
jaspe *m.* jasper
jaune yellow; **— d'or** golden yellow; **Jaune** *name of a river in China*
je I
Jean *m.* John
Jeanne *f.* Joan
jeter to throw, cast, utter; **se — à** to throw oneself around
jeu *m.* game, play; **— de domi-**

nos set of dominos
jeudi *m.* Thursday
jeun, à — fasting
jeune young; **— fille** *f.* girl; **le —** the younger, junior; **jeunes gens** *m. pl.* young men
jeûne *m.* fasting
jeunesse *f.* youth
Jocrisse *m. given name*
joie *f.* joy
joli, -e pretty, nice
jonc *m.* rush; **canne en —** malacca cane
Joseph *m.* Joseph
Josèphe *m.* Josephus (*a famous Jewish historian of the first century* A. D.)
joue *f.* cheek
jouer to act, play; **— à** to play (*a game*); **— de** to play (*an instrument*)
joueur *m.* player, gambler, speculator
jouir de to enjoy
jour *m.* day; **— de l'an** New Year's day; **d'un — à l'autre** from one day to another; **par —** a day; **huit —s** a week; **quinze —s** two weeks; **vieux —s** 64, 16 old age
journal *m.* journal, newspaper
journaliste *m.* journalist
journée *f.* day
joyeu-x, -se joyous
jubilation *f.* jubilation
jubilatoire jubilant
judas *m.* peephole; **Judas** Judas
juger to judge
juif *m.* Jew
jupe *f.* skirt
Jupiter *m.* Jupiter
jurer to swear
jurisprudence *f.* jurisprudence
jury *m.* jury, committee, board
jus *m.* juice
jusque until; **jusqu'à** until, up to, down to, as far as, to the point of; **jusqu'à ce que** until; **jusqu'à présent** up to the present; **jusqu'ici** up to now, until now; **jusque-là** until then
juste just
justement precisely, just, just now
justice *f.* justice

K

Kamtchatka *m.* Kamchatka (*a cold, desolate peninsula in northeastern Asia*)
kilog.=kilogramme
kilogramme *m.* kilogram (*about 2⅕ pounds*)

L

la the, her, it; *m.* la (*musical note*)
là there; **jusque-là** until then
labeur *m.* labor
laboratoire *m.* laboratory
laborieu-x, -se industrious
lac *m.* lake
lâcher to let go
Laensberg *surname*
laid, -e ugly
laisser to leave, let; **— faire** to let alone, allow to act; **ne pas — que de** not to be able to help being, not to fail to; **— tomber** to drop; **— voir** to allow to be perceived, show
lambris *m.* paneling, decoration
Lammermoor, Lucia di — *name of an opera*
lancer to throw, cast, hurl, shoot, emit
langage *m.* language

lange *m.* swaddling clothes
langue *f.* language
lansquenet *m. name of a game of cards*
lanterne *f.* lantern
lapin *m.* rabbit
laquais *m.* lackey
lares *m. pl.* home (*from Latin*)
large wide; *m.* width, open sea; **gagner le —** 10, 4 to stand out to sea, flee
larme *f.* tear
lasting *m.* lasting (*a durable wool material*)
laurier *m.* laurel
laver to wash
le the, him, it, so
leçon *f.* lesson
lecteur *m.* reader
lecture *f.* reading, perusal; **être en —** 83, 30 to be in use
ledit, -e the aforesaid
légal, -e legal
légalement legally
légende *f.* legend, inscription
lég-er, -ère light, slight, nimble
légion *f.* legion
légitime legitimate
léguer to bequeath
lendemain *m.* next day; **le — de** the day after; **le — matin** the next morning; **le — même** the very next day
lentement slowly
lenteur *f.* slowness, deliberation
Léon *m.* Leo
lequel which, which one, who, whom
les the, them
léser to wrong, cheat
lettre *f.* letter, note
leur their, to them
levantin, -e levantine
lever to raise; **se —** to rise, get up
lèvre *f.* lip
liasse *f.* bundle
libation *f.* libation
libéral, -e liberal
liberté *f.* liberty
libre free, unoccupied
libretti *m. pl. of* libretto (*from Italian*)
lier to bind, connect, associate
lieu *m.* place; **au — de** instead of; **— commun** commonplace; **—x** 4, 17 premises
lièvre *m.* hare
ligne *f.* line
limpidité *f.* clearness
linceul *m.* shroud
linge *m.* linen
lini-er, -ère relating to flax, flax
lion *m.* lion; 53, 4 dandy
liqueur *f.* liqueur
liquidation *f.* liquidation
liquide *m.* liquid
liquider to liquidate; **se —** to settle
lire to read
Lisette *f. given name*
liste *f.* list
lit *m.* bed
litre *m.* liter (*almost a quart*)
littéraire literary
littérateur *m.* literary man
littérature *f.* literature
livre *m.* book; *f.* pound
livrée *f.* livery, uniform; 35, 1 servants
livrer to deliver; **se —** to give oneself up, resort
locataire *m. and f.* tenant
locati-f, -ve for renting
location *f.* renting
loge *f* lodge, office (*of the porter*

or concierge in an apartment house), box (*at the theater*)
logement *m.* lodging, lodgings
loger to lodge
loi *f.* law
loin far; **être plus —** 84, 8 to go further
l'on = **on**
Londres *m.* London
long, -ue long; **au — de** along
Longchamp *m. see chapter VIII, note* 15
longévité *f.* longevity, length of life
longitude *f.* longitude
longtemps long, long time; **plus —** longer
lord *m.* lord (*from English*)
lorgnon *m.* lorgnon
lors then; **dès —** from that time
lorsque when
lot *m.* lot, quantity
Loth *m.* Lot
loto *m.* lotto (a game); **boule de —** *a wooden ball with a number used in the game of lotto*
louer to rent
louis *m. name of an old coin now sometimes used for the twenty franc piece;* **Louis** Louis
lourdement heavily
Louvre *m. a celebrated palace and art museum in Paris;* 109, 13 *used as a synonym for a palatial home*
loyer *m.* rent; **terme de —** quarter's rent
l'un = **un**
Lucia *f.*, **— di Lammermoor** *name of an opera*
lucidité *f.* lucidity
Lucie *f.* Lucy, Lucia
lueur *f.* glimmer
lui him, to him, for him, to her, for her, himself; **lui-même** himself
luire to shine (*p. p.* **lui**)
lumière *f.* light; **aux —s** by artificial light
lune *f.* moon; **— de miel** honeymoon
lunettes *f. pl.* spectacles; **Lunettes** *name of a quay in Paris*
lutte *f.* struggle
lutter to struggle
Luxembourg *m. a palace in Paris, now a museum with gardens; a theater*
lyre *f.* lyre
lyrisme *m.* lyricism, lyric poetry

M

M. = **monsieur**
macabre funereal (from an old dance of death, sometimes riotous)
mâcher to chew
machine *f.* machine; **— pneumatique** air-pump
madame *f.* madam
Madeleine *f.* Magdalen
mademoiselle *f.* miss
madrigal *m.* madrigal
magasin *m.* store
magie *f.* magic; **—s** magic
magnifique magnificent
Magots, Deux — *see chapter VIII, note* 1
mai *m.* May
main *f.* hand; **à la —** in one's hand
Maine *m. name of an old gate and street in Paris*
maintenant now
maintenir to maintain
maire *m.* mayor
mairie *f,* office of the *maire*

mais but, why, oh
maison *f.* house
maître *m.* master, owner; **— d'école** school teacher
maîtresse *f.* mistress; 56, 26 boss
majuscule capital
malade sick, ill
maladi-f, -ve sickly
malgré in spite of
malheur *m.* misfortune
malheureusement unfortunately
malheureu-x, -se unfortunate, unhappy; *m.* wretch
malice *f.* malice, spite; **—s** malice
mamelle *f.* breast
manche *f.* sleeve
manchette *f.* cuff
mangeant, -e eating; **cabaret —** restaurant
manger to eat; **se — les sangs** to restrain oneself
manier to manage
manière *f.* manner, way; **de cette —** in this way; **en — de** by way of
manipuler to manipulate
manne *f.* manna
manœuvre *f.* manoeuvre
manquer to be lacking, lack, fail
mansarde *f.* garret
manteau *m.* mantle
mantille *f.* cloak
manuel *m.* manual
manuscrit *m.* manuscript
maquette *f.* rough sketch
Marat *surname*
marchand *m.* merchant
marchande *f.* merchant, dealer; **— de modes** dressmaker
marche *f.* march, procession, step
marché *m.* bargain; **à bon —** cheap
marcher to march, walk, proceed
marée *f.* tide, seafish
marguerite *f.* daisy
mari *m.* husband
Maria *see* **Ave**
marié *m.* married man
mariée *f.* married woman
marier to marry; **se — avec** to marry; 7, 24 to harmonize with
mariner to souse; **faire —** 22, 18 to pickle
marinier *m.* mariner
marmotter to mutter
marquer to mark
marraine *f.* godmother
mars *m.* March
Marseille *f.* Marseilles
martin *m.* bear, bearskin
masculin, -e masculine
masquer to mask
massacrant, -e massacring, murderous
massacrer to massacre
matelas *m.* mattress
matériel, -le material
maternel, -le maternal
mathématique mathematical; **—s** *f. pl.* mathematics
matière *f.* matter, affair, affairs
matin *m.* morning; **du —** in the morning, A.M.; **le —** in the morning; **le lendemain —** the next morning
mâtin *m.* mastiff, (the) rascal
matinée *f.* morning; **dormir la grasse —** 103, 2 to sleep late in the morning
Matthieu *m.* Matthew
mauvais, -e bad
maxime *f.* maxim
maximum *m.* maximum
me me, to me, for me, of me, from me, myself
mécanique mechanical
méchant, -e bad, spiteful

mèche *f.* lock (*of hair*)
mécontent, -e displeased
médecine *f.* medicine
Médicis *surname*
médico - chirurgical - osanore medico-surgical-dental
méditer to meditate
méfier, (se) — de to distrust
meilleur, -e better, best; **à — marché** more cheaply
mélancolie *f.* melancholy
mélancolique melancholy
mêler to mingle, mix; **se — à** to join in; **s'en mêle** 21, 4 takes a hand
mélodie *f.* melody
mélodieu-x, -se melodious
mélodique melodic
membre *m.* member
même same, very, self, even; **de —** likewise
mémoire *m.* memoir; *f.* memory
menace *f.* threat
menacer to threaten
ménage *m.* housekeeping, household
ménagement *m.* restraint
mener to take, conduct; **— grand train** to live in great style
mensonge *m.* lie
mental, -e mental
menterie *f.* lie
menton *m.* chin
mentonni-er, -ére on the chin
menu *m.* bill of fare
mer *f.* sea; **mal de —** seasickness
merci *f.* mercy, thank you; **Dieu —** thank God
mère *f.* mother
mérinos *m.* merino
mériter to deserve, earn
merveilleusement marvelously
mesquin, -e mean
messager *m.* messenger
messe *f.* mass
mesure *f.* measure, bar; **au fur et à — de** in proportion to; **en —** in a position, able; **faire bonne —** to give (a) good measure
métal *m.* metal
métamorphose *f.* metamorphosis
métamorphoser to metamorphose, transform
métier *m.* occupation, job
mètre *m.* meter
mets *m.* dish
mettre to set, put, devote, use, turn, put on; **— à** to put into, spend on; **— de côté** to lay aside, save: **— en campagne** to start on a campaign; **— en contact** to bring into contact; **— en coupe réglée** to apportion for cutting; **— en musique** to set to music; **être bien mis** to be well dressed; **mieux mise qu'une duchesse** 77, 22 better adorned than a duchess; **le couvert est mis** the table is set; **— en retenue** to keep in (*at school*); **que l'orthographe fût bien mise** 76, 29 that the spelling should be well done; **— un quart d'heure** to devote a quarter of an hour; **se — (à)** to begin (to), go up (to), sit down (to), seat oneself (at); **se — à cheval** to get on horseback, bestride; **se — à l'œuvre** to set to work; **se — en campagne** to start on a campaign; **se — en rapport** to get into touch; **se — en route** to start on the way
meuble *m.* piece of furniture; **—s** furniture

mi *m.* mi (*musical note*)
miche *f.* small loaf
midi *m.* midday, noon, twelve o'clock
miel *m.* honey; **lune de —** honeymoon
mien, -ne (le, la) mine; **un mien oncle** 47, 24 an uncle of mine
mieux better, something better; **de son —** to the best of one's ability; **aimer —** to prefer
mil (one) thousand
milieu *m.* midst, middle, middle ground, golden mean; **du —** center
mille (a) thousand
million *m.* million
millionaire *m.* millionaire
milord *m.* my lord, lord
mineur *m.* minor (*in music*)
miniature *f.* miniature; **à la —** in miniature
minime least, slightest; **plus —** least, slightest
ministère *m.* ministry
ministériel, -le ministerial, governmental
ministre *m.* minister
minuit *m.* midnight, twelve o'clock
minute *f.* minute; **à la —** in a minute, with a minute's notice
mirliton *m.* child's flute; **légende de —** 6, 12 childish inscription (*such as those used on the wrapper of a mirliton*)
miroir *m.* mirror
mise *f.* dress
misérable miserable
misère *f.* misery, trouble
missive *f.* missive
moa *incorrect for* **me**
mobilier *m.* (*set of*) furniture, furnishings
mode *f.* style, fashion; **à la —** in style, fashionable
modèle *m.* model
modéré, -e moderate, slight
modérément moderately
modérer to moderate, lessen
moderne modern
modeste modest
modification *f.* modification
modifier to modify
modiste *f.* dressmaker
mœurs *f. pl.* customs
moi me, I, myself, as for me; **moi-même** myself
moindre lesser, least, slightest
moins less, least; **à — que . . . ne** unless; **au —** at least; **du —** at least
mois *m.* month, month's pay; **par —** a month
moitié *f.* half; **à —** half
moka *m.* mocha
moment *m.* moment; **d'un — à l'autre** at any moment
Momus *surname*
mon, ma my
monacal, -e monkish
monde *m.* world, people, society; **du —** some people; **le —** society; **tout le —** everybody
Mondor *see chapter VIII, note* 27
Monetti *surname*
monnaie *f.* money, change
monologue *m.* monologue
monologuer to deliver a monologue, talk to oneself
monsieur *m.* sir, Mr., gentleman
monstre *m.* monster; slang for libretto
mont *m.* mount
monter to mount, go up, climb, ascend, take up, bring up, send up, put together, collect; **— dans** to go up into; **faire —**

to have brought up; **se — à** to amount to
Montmartre *m. name of a section in the northern part of Paris*
Montparnasse *m. name of a theater*
montre *f.* watch
montrer to show, point to, point out
moquer, se — de to make fun of, care about
Moravie *f.* Moravia
morceau *m.* piece
mordre to bite
mort *f.* death
mortel, -le mortal; *m.* mortal
mosaïque *f.* mosaic
mot *m.* word, remark, saying; **sans — dire** without saying a word
motif *m.* motif, strain, air, reason
moucher to blow the nose; **se —** to blow one's nose
mouchoir *m.* handkerchief
mourir to die; **faire —** to cause (some one's) death
mousquetaire *m.* musketeer
mousser to foam
moustache *f.* mustache
Mouton *surname*
moyen *m.* way, measure, means; **—s** means
muet, -te mute
multicolore many-colored, variegated
municipal, -e municipal
munir to fortify, supply
mur *m.* wall
muraille *f.* wall
Murat *surname*
murmurer to murmur
muse *f.* muse
musée *m.* museum
Musette *f. given name*
musicien *m.* musician
musique *f.* music
mutuel, -le mutual
mystère *m.* mystery
mystérieu-x, -se mysterious
mythe *m.* myth
mythologie *f.* mythology

N

nain *m.* dwarf; **nain, -e** dwarfish
naissance *f.* birth
naître to be born
naïveté *f.* naïveté, simplicity, innocence
nankin *m.* nankeen
Nantes *f. name of a city*
napolitain, -e Neapolitan
narguer to defy
narguillé *m.* narghile (*oriental pipe*)
nasal, -e nasal
national, -e national
nature *f.* nature
naturel, -le natural, normal
naturellement naturally, by nature
Navarre *f.* Navarre
ne not; **— . . . pas** not
néanmoins nevertheless
néant nothing
nécessaire necessary; **le strict —** what is strictly necessary
nécessité *f.* necessity
négligé, -e careless
négligemment negligently, carelessly
négliger to neglect
négoce *m.* business, trade, sale
négocier to trade
nègre *m.* negro
neige *f.* snow
neu-f, -ve new

neuf nine, ninth
neveu *m.* nephew
nez *m.* nose; **— à —** face to face; **faire un pied de —** to thumb one's nose; **fermer la porte au — de** to shut the door in the face of
ni nor; **— . . . —** neither . . . nor
Nicolas *m.* Nicholas
Nicollet *m. surname*
nid *m.* nest
Ninive *f.* Nineveh
niveau *m.* level
no. = **numéro**
noble noble
noce *f.* wedding; **—s** wedding
Noël *m.* Christmas; **la veille de —** Christmas Eve
nœud *m.* knot
noir, -e black
noisette *f.* hazelnut; *adj.* hazelnut
noix *f.* nut
nom *m.* name
nombre *m.* number
nombreu-x, -se numerous, considerable
nomination *f.* nomination
nommer to name
non no, not
nonchalamment nonchalantly
nord *m.* north
normand, -e Norman
note *f.* note, bill, mark, sign
noter to note
notre our
nôtre (le) ours
nouer to tie
Noureddin *m. Arabic given name*
nourrir to nourish, feed; **se —** to eat
nous we, us, to us, for us, each other, one another, ourselves
nouve-au, -lle new, fresh, other; **de —** anew, again; *f.* (piece of) news; *f. pl.* news
nouveauté *f.* novelty
nouvelle *see* **nouveau**
novice inexperienced
noyer to drown
nu, -e naked, unclothed
nuage *m.* cloud
nuance *f.* shade
nudité *f.* nakedness, barenness
nuire à to injure
nuisible injurious
nuit *f.* night; **faire —** to be night, be dark
numéro *m.* number

O

oasis, *f.* oasis
obéissance *f.* obedience
objet *m.* object
obliger to oblige
obscur, -e obscure
obséder to beset
observatoire *m.* observatory
observer to observe, watch for; **faire — à** to call to the attention of
obstacle *m.* obstacle
obstination *f.* persistence
obstiné, -e obstinate
obtenir to obtain
occasion *f.* occasion, opportunity
occupation *f.* occupation
occupé, -e busy
occuper to occupy, busy, possess; **s'— de** to busy oneself with
océan *m.* ocean
octave *f.* octave
octobre *m.* October
octroyer to grant
odeur *f.* odor
odorant, -e fragrant

œil *m.* eye; **coup d'** — glance
œuvre *f.* work; **chef-d'—** masterpiece; **se mettre à l'—** to set to work
offre *f.* offer
offrir to offer
oiseau *m.* bird; **voir à vol d'—** to get a bird's eye view of
oisi-f, -ve idle; *m.* idler
olympien, -ne Olympian
ombre *f.* shadow, shade
ombrelle *f.* parasol
on one, we, you, they, people
once *f.* ounce
oncle *m.* uncle
onde *f.* wave, water
onglée *f.* numbness
onze eleven
opaque opaque
opéra *m* opera
opération *f.* operation
opérer to carry out; **s'—** to become effective
opinion *f.* opinion, public opinion
opposé, -e opposite
opposer to oppose; **s'— à** to oppose; **s'— à ce que** to oppose, be opposed to
opposition *f.* opposition
opprimer to oppress; 19, 12 to 'squeeze'
or *adv.* now; *m.* gold; **jaune d'—** golden yellow
orageu-x, -se stormy
oranger *m.* orange tree; **fleur d'—** orange blossom
oratoire oratorical
orchestre *m.* orchestra
ordinaire ordinary, usual; 93, 17 resident (*said of one occupying a regular position at a court or capital, and not having a special mission*); **à l'—** as usual
ordinairement ordinarily
ordre *m.* order; **par — de** in the order of
oreille *f.* ear
oreiller *m.* pillow
organe *m.* organ, voice
organisation *f.* organization
orgue *m.* organ; **— de barbarie** hand organ
orgueil *m.* pride
orgueilleu-x, -se proud
Orient *m.* Orient, East
oriental, -e oriental; **à l'orientale** in oriental fashion
origine *f.* origin
Orléans *f.* Orleans (*a city south of Paris*)
orner to ornament, adorn
ortographe *f.* spelling
osanore relating to artificial teeth
oser to dare
Osman *m. Arabic and Turkish given name*
ostracisme *m.* ostracism
ôter to take off
ou or
où where, in which, at which, when, that; **au cas —** in the event that; **d'—** whence; **par — que** where
oubli *m.* forgetting, forgetfulness
oublier to forget
ouf *an interjection expressing fatigue*
ouh oh
oui yes
ours *m.* bear; **— blanc** polar bear
outrager to outrage, violate
outrance *f.* extreme; **guerre à —** war to the death
outre besides; **en —** besides, moreover
outrepasser to exceed
outrer to exaggerate

ouvert, -e open
ouverture *f.* opening, overture
ouvrage *m.* work
ouvrier *m.* workman
ouvrir to open; **s'—** to open
ovation *f.* ovation

P

Pactole *m.* Pactolus
page *f.* page
païenne *f.* pagan
paille *f.* straw
pain *m.* bread, loaf of bread
paîrais-payerais
paire *f.* pair
palais *m.* palace
paletot *m.* overcoat, loose fitting coat
palette *f.* palette
pâleur *f.* pallor
pâlir to grow pale
palissandre *m.* rosewood
palme *f.* palm branch, palm
palpitant, -e palpitating
panacher to color brightly
panatellas *m.* panatella
panier *m.* basket
panneau *m.* panel
panorama *m.* panorama
pantalon *m.* trousers, pair of trousers
pantoufle *f.* slipper
papa *m.* pope
papier *m.* paper, document; **— à tête** letterhead paper
pâquerette *f.* Easter daisy
Pâques *f. pl.* Easter
paquet *m.* package; **faire ses —s** to pack one's belongings
par by, through, for, on account of, with; **— jour** a day; **— où** through where, how
parabole *f.* parable
paradoxe *m.* paradox
paraître to appear, seem
paravent *m.* screen
parbleu by heaven, certainly
parc *m.* park
parce que because
parcourir to run (through), traverse
pardon *m.* pardon, pardon me, I beg your pardon
pardonner to pardon
pareil, -le such, similar; **un —** such a
pareillement similarly, likewise, either
parement *m.* adornment, robe
parent *m.* relative; **—s** relatives, parents
parente *f.* relative
parer to adorn
paresseu-x, -se lazy
parfait, -e perfect; **— amour** 87, 32 *name of a liqueur*
parfaitement perfectly, completely, fully, exactly
parfumeur *m.* perfumer
pari *m.* wager, bet
parier to wager, bet
Paris *m.* Paris
parisien, -ne Parisian
parlant, -e speaking
parlement *m.* parliament
parlementaire parliamentary
parlementer to parley
parler to speak, talk; **entendre — de** to hear mention of
parmi among
parole *f.* word, speech; **demander la —** to ask permission to speak; **prendre la —** to assume the function of speaker, begin to speak
parquet *m.* floor
part *f.* part; **à —** aside; **faire**

— **à quelqu'un de** to inform some one about
partager to share
parterre *m.* pit (*in a theater*)
parti *m.* decision, course; — **pris** fixed policy
particuli-er, -ère particular, special, strange, peculiar, private; *m.* individual
particulièrement particularly
partie *f.* part, game
partir to depart, leave, go away, go, start; — **de** to leave
partition *f.* score (*of a musical composition*)
partout everywhere
pas not; *m.* pace, step; — **de** not any, no; **ne . . .** — not; **non** — not; **revenir sur les** — to retrace one's steps, come back
passablement passably, moderately
passage *m.* passage, entrance, gallery; **de** — transient
passé *prep.* past
passer to pass, spend, go, cross; **en** — **par là** 18, 13 to put up with it; **faire** — to move; **se** — to pass, happen, take place; **se** — **de** to do without; **s'en** — to do without it
passi-f, -ve passive
passion *f.* passion
passionné, -e impassioned, enthusiastic
pata ti et pata ta *an expression used to denote foolish chattering or nonsense*
pâté *m.* meat pie
patience *f.* patience
patois *m.* dialect, language
patron *m.* patron
patte *f.* paw, foot; **verre à** — glass with an ornamental base
paupière *f.* eyelid
pauvre poor
pauvrement poorly
payer to pay, pay for
pays *m.* country
peau *f.* skin
pécher to sin
peigne *m.* comb
peignoir *m.* dressing gown
peindre to paint; **boîte à** — paint box
peine *f.* pain, difficulty; **à** — hardly, scarcely, barely; **à grand'-** — with great difficulty; **donner** — **à** to distress; **être la** — to be worth the trouble
peintre *m.* painter
peinture *f.* painting, paint
pélérinage *m.* pilgrimage
pèlerine *f.* large collar
pelisse *f.* fur
peloton *m.* platoon; **feu de** — platoon fire
penché, -e leaning; — **à** bending over
pencher to lean; **se** — to lean
pendant during, for; — **que** while; *m.* pendant, companion
pendre to hang; **se** — **au cordon de la sonnette** 88, 12 to pull the bell cord
pendule *f.* clock
pénétrer to penetrate
pénible painful
péniblement painfully
penser to think; — **à** to think of *or* about
pension *f.* pension, allowance
percer to pierce
perchoir *m.* perch, roost
perdre to lose, waste, ruin; **se** — to be lost

perdu, -e lost, idle, leisure
père *m.* father; **— de famille** father
perfectionner to perfect
perfide perfidious
péril *m.* peril
permettre to permit; **permettez** permit me, excuse me, with your permission
pernicieu-x, -se pernicious
Pérou, le — Peru
perpétuel, -le perpetual
perquisition *f.* search
perroquet *m.* paroquet
perruque *f.* wig
persécuteur *m.* persecutor
persécution *f.* persecution, pursuit
persil *m.* parsley
personnage *m.* personnage
personne *f.* person; **jeune —** young girl, young woman; *pron.* any one, no one
personnel, -le personal
peser to weigh
pétard *m.* fire cracker
Pétersbourg, Saint — *m.* St. Petersburg (*Petrograd*)
petit, -e little, small
pétrir to knead
peu little, few, not very; **— à —** little by little; **à — près** almost; **— de** little, few; **— de chose** insignificant thing; **le — de** the little, the few; **un —** a little, please, just; **un — de** a little
peuh pshaw, nonsense
peuple *m.* people
peur *f.* fear; **avoir —** to be afraid
peut-être perhaps
Pharaon *m.* Pharaoh
pharmacien *m.* druggist
Phémie *f. given name*
phénomène *m.* phenomenon
Philippe *m.* Philip
philosophe *m.* philosopher
philosophie *f.* philosophy
philosophique philosophical
phrase *f.* phrase
physionomie *f.* physiognomy, countenance
pianiste *m.* pianist
piano *m.* piano
pictural, -e pictorial
pièce *f.* piece, play, room; **— de vers** composition in verse
pied *m.* foot; **faire un — de nez** to thumb one's nose
piège *m.* snare, trap
piémontais, -e Piedmontese
pierre *f.* stone; **— à fusil** 21, 17 flint
piéton *m.* pedestrian
pile *f.* pile, tail (*of coins*); **à — ou face** 37, 25 heads or tails
piler to crush, pulverize
pillage *m.* pillage
pilote *m.* pilot
pinceau *m.* brush
pincer to pinch
pipe *f.* pipe; **— de tabac** pipeful of tobacco
piquer to prick
piquet *m.* piquet (*a game of cards*)
pis worse; **tant —** so much the worse
piste *f.* trail, track
pistolet *m.* pistol; **tir au —** 115, 5 shooting gallery
piteusement piteously
pitié *f.* pity
placage *m.* patchwork, jumble
place *f.* place, space, seat, square,

room; **en —** instead; **sur la —** on the spot
placement *m.* placing, disposition, situation
placer to place, base, found
placidité *f.* placidity
plafond *m.* ceiling
plafonner to furnish with a ceiling
plaindre to pity; **se —** to complain
plaine *f.* plain
plainte *f.* complaint
plainti-f, -ve plaintive
plaire to please; **s'il vous plaît** please
plaisanterie *f.* pleasantry, joke
plaisir *m.* pleasure
plan *m.* plan, plane, plot; 94, 12 section
planche *f.* plank, board
plancher *m.* floor
plante *f.* plant
planter to plant
planton *m.* orderly
plat *m.* plate, dish
platonicien, -ne Platonic
plein, -e full; **au — cœur** to the very heart
plénipotentiaire *m.* envoy
pleurer to weep, cry; **— après l'étoffe** 104, 8 to skimp the material
pleuvoir to rain
pli *m.* plait, fold, wrinkle
plier to bend
plonger to plunge
pluie *f.* rain
plume *f.* plume, feather, pen
plupart *f.* greater part, majority; **la — du temps** usually
pluriel, -le plural
plus more, most, plus; **de —** more; **de — en —** more and more; **ne . . . —** no more, no longer; **ne . . . — que** nothing but; **non —** either; **— tard** later
plusieurs several
plutôt rather
pneumatique pneumatic; **machine —** air pump
poche *f.* pocket; **sou de —** pocket money
poêle *m.* stove
poêlier *m.* stove maker
poëme *m* poem
poésie *f.* poetry, poem
poëte *m.* poet
poids *m.* weight
poignée *f.* handshake, clasp, handful
poil *m.* hair, coat (*of hair or fur of an animal*)
poing *m.* fist
point, ne . . . — not, by no means
point *m.* point; **au — de vue** from the point of view
pointe *f.* point, end
pointu, -e pointed
poire *f.* pear; **— d'angoisse** gag
poisson *m.* fish
poitrine *f.* chest, breast
pôle *m* pole
police *f.* police
poliment politely
politesse *f.* politeness
politique political; *f.* policy
polyglotte polyglot
pont *m.* bridge
populaire popular
porcelaine *f.* porcelain
port *m.* port
porte *f.* door
portée *f.* reach; **à (la) —** within reach

portefeuille *m.* portfolio, pocket book
porte-manteau *m.* coat hanger
porter to carry, bear, lodge, lay, wear, propose; **se —** to get along
porteur *m.* bearer, wearer
portier *m.* porter, doorkeeper
portion *f.* portion
portrait *m.* portrait, picture; **talent pour le —** 44, 3 talent for portraiture
pose *f.* pose, placing
poser to put, place, put in, add, pose, establish; 108, 23 to give a standing to
position *f.* position
posséder to possess, own
possession *f.* possession
possible possible
pot *m.* pot, flower pot
potag-er, -ère relating to a kitchen garden, garden
pouce *m.* thumb, inch
poumon *m.* lung
pour for, in order to, to; **— boire** = **pourboire** *m.* tip; **— cent** per cent; **— que** in order that, so that
pourchasser to pursue
pourpré, -e purple
pourquoi why; **— faire** for what purpose
poursuivre to pursue, continue
pourtant however
pourvu que provided that
pousser to push, impel, utter
poussière *f.* dust
pouvoir to be able; **je peux** I can *or* may; **je pouvais** I could *or* was able; **je pourrais** I might *or* could; **j'avais pu** I might *or* could have; **j'aurais pu** I might *or* could have; **puisse** may
pratique *f.* practice
pratiquer to practice, make, form, open
précédent, -e preceding
précéder to precede
précieu-x, -se precious
précipice *m.* precipice
précis, -e exact; 4, 16 exactly
précisément precisely
précision *f.* precision
précoce precocious, premature
préférer to prefer
préfet *m.* prefect
préjugé *m.* prejudice
prélever to levy
premi-er, -ère first; **de première force** 107, 22 of the highest skill; **le —** first; *m.* young actor, hero; *f.* 53, 24 leading lady, heroine; 114, 3 first night, first performance
prendre to take, get, secure, seize, assume, hire, show, take out; **— à** to charge; **à tout —** everything considered; **faire —** to send for; **— garde à** to be careful with; **— la parole** to begin to speak, assume the function of speaker; **— par son faible** 110, 23 to get on the right side of
préoccupation *f.* worry
préoccuper to preoccupy, concern; **se — de** to worry about, pay attention to
près near; **à peu —** almost; **— de** near, beside, nearly; **ici-près** near here
présence *f.* presence
présent, -e present; *m.* present; **faire —** to make a present
présentable presentable

présenter to present, introduce
préserver to protect
présidence *f.* presidency
présider (à) to preside (over)
presque almost
pressé, -e urgent
prêt, -e ready
prétendre to pretend, claim
prétention *f.* pretension, intention; **avoir la — de** to intend to
prêter to lend
prétexte *m.* pretext
preuve *f.* proof
prévenir to forestall
prévoir to foresee
prier to beg, ask; **je vous prie** please
prière *f.* prayer
primitivement originally
prince *m.* prince
principal, -e principal
principe *m.* principle; **premiers —s** 22, 31 rudiments
printani-er, -ère spring, springlike
printemps *m.* spring
priori, à — a priori
privé, -e private
priver to deprive
prix *m.* price, prize
probablement probably
probité *f.* honesty
procéder to proceed
procès *m.* suit, lawsuit
prochain, -e next, neighboring
prochainement soon
proche close
procurer to secure, gain; **se —** to secure
prodigalité *f.* prodigality
prodigieusement prodigiously
producti-f, -ve productive
produire to produce
produit *m.* product
profan, -e profane
proférer to utter
profession *f.* profession
profiter (de) to profit (by)
profond, -e profound, deep, extreme
programme *m.* program
progrès *m.* progress
proie *f.* prey
projet *m.* project
prologue *m.* prologue
prolonger to prolong
promener to conduct, direct, cast; **se —** to promenade, walk, stroll
promesse *f.* promise
promettre to promise
prompt, -e prompt, quick
prononcer to utter
prophète *m.* prophet
propice propitious
proportion *f.* proportion
propos *m.* resolution; **à —** by the way, at the proper time; **à — de** about, speaking of; **à — de ça** speaking of that, by the way
proposer to propose; **se —** to propose
proposition *f.* proposition
propre proper, special, clean
amour-propre *m.* self esteem
propriétaire *m. or f.* landlord
prose *f.* prose, speech
prospérité *f.* prosperity
protec-teur, -trice protecting; *m.* protector
protection *f.* protection, influence
Proudhon surname
prouver to prove
provençal, -e Provençal (*related to the south of France)*
Provence *name of a street*
providence *f.* providence
province *f.* province; **de (en) —**

of (in) the provinces (*i. e. any part of France outside of Paris*)
provincial *m.* provincial (*a man from the provinces, i. e., from any part of France other than Paris*)
provisoire provisional
provocation *f.* provocation, inducement
Provost *surname*
prussien, -ne Prussian
prussique prussic
publi-c, -que public; *m.* public
publicité *f.* publicity
publier to publish
puis then, next
puisque since
punch *m.* punch
pur, -e pure
pyrotechnique pyrotechnical

Q

quadrille *m.* quadrille
quadrupède *m.* quadruped
quai *m.* quay
qualité *f.* quality, good quality
quand when, if, even if
quant à as for
quantième *m.* day (*of the month*)
quarantaine *f.* about forty; **une — de** about forty
quarante forty
quart *m.* quarter; **— d'heure** quarter of an hour; **midi moins un —** a quarter of twelve
quartier *m.* quarter (*section of a city*)
quatorze fourteen
quatre four
quatre-vingt(s) eighty
quatre-vingt-dix ninety
quatrième fourth
quatuor *m.* quartet
que what, which, whom, that, but, how, when, in order that, than, as; **qu'est ce qui (que)** what; **qu'est ce que c'est que** what is; **ne . . . —** only, not until, not . . . more than, nothing but, just
quel which, what, who
quelque some, any; **—s** a few; **— chose (de)** something
quelquefois sometimes
quelqu'un, -e some one, any one, some, any; **— de pauvre** 7, 12 some one poor
querelle *f.* quarrel
question *f.* question
qui who, which, that; **à —** whose; **de —** whose
quintal *m.* hundredweight
quinte *f.* fit, spasm
quinzaine *f.* about fifteen; **une — de** about fifteen; **une — de jours** about two weeks
quinze fifteen; **— jours** two weeks
quiproquo *m.* blunder
quittance *f.* quittance, receipt
quitter to leave
quoi what, which; **de —** 104, 31 something with which; **il y a de** 46, 14 **—** there is some reason; **sur —** whereupon
quoique although
quotidiennement daily

R

raccommoder to repair, fix
race *f.* race
rachat *m.* ransom
racheter to ransom
rachitique rickety
raconter to recount, tell, relate, narrate

radis *m* radish
raffineur *m.* refiner
rafraîchissement *m.* refreshment
raillerie *f.* raillery, joke
railleu-r, -se mocking
raison *f.* reason; **à — de** at the rate of; **avoir —** to be right
raisonnement *m.* reasoning
ramasser to pick up, heap up, collect
ramener to move back
rampe *f.* baluster
ranger to place in line, arrange
Raoul *m.* Ralph
Raoul-Rochette *surname*
râpe *f.* grater
Raphaël *m.* Raphael
rapide rapid, swift
rapidement rapidly
rapidité *f.* rapidity
rapin *m.* painter's apprentice, student (*of painting*)
rappel *m* recall
rappeler to recall; **se —** to recall, remember
rapport *m.* relation; **se mettre en —** to get into touch
rapporter to bring back, bring
rare rare
rasoir *m.* rasor
rattraper to overtake; **se —** 63, 29 to make up for it
ravir to ravish, delight, take away
rayon *m.* ray, stripe
ré *m.* re (*musical note*)
réalisation *f.* realization
réaliser to realize, assemble; **se —** to be realized, go into effect
réalité *f.* reality
rebondir to rebound
rebrousser to turn up
récemment recently
récent, -e recent
recette *f.* receipt (*of money*), receipts, recipe; **en —** received
recevoir to receive, accept
recherche *f.* search
rechercher to look for
réciproquement mutually
récit *m.* recital
réciter to recite
réclamer to claim
recommander to recommend, instruct
recommencer to begin again
récompenser to reward
reconduire to accompany to the door
reconnaître to recognize
recourir to resort
reçu *m.* receipt
recueil *m.* collection
recueillir to gather, take in
reculer to retreat; **se —** to withdraw
reculons, à — backwards
récupérer to recover
récurer to scour, wipe
rédacteur *m.* editor
rédaction *f.* account
redescendre to descend again, come down again
rédiger to edit, write, compose, make
redingote *f.* frock coat
redoubler to redouble
redouter to dread
redresser to raise again
réduction *f.* reduction, reproduction in miniature
réduire to reduce
réellement really
refaire to remake, refashion
réfléchir to reflect
reflet *m.* reflection
réflexion *f.* reflection
refrain *m.* refrain, chorus

réfugié *m.* refugee
refus *m.* refusal
refuser to refuse, **s'y —** 83, 14 to refuse (to do it)
regagner to reach again
regard *m.* glance; **à tes —** 62, 10 before your eyes; **en — de** with regard to
regarder to look at, look, watch
régiment *m.* regiment
registre *m.* register, account book
régler to fix, arrange; **mettre en coupe réglée** to apportion for cutting
règne *m.* reign
regret *m.* regret
regretter to regret
régularité *f.* regularity
régulièrement regularly
reine *f.* queen
rejoindre to rejoin
relâché, -e lax
relation *f.* relation
relativement relatively, with relation
relevée *f.* afternoon; **de —** in the afternoon, P. M.
relever to raise, raise again, turn up
relié, -e bound (*referring to a book*), dressed (*slang*)
relier to bind
religion *f.* religion
reliquat *m.* balance
relire to reread
reluisant, -e glittering
remanier to retouch
remarquable remarkable
remarque *f.* remark, comment; **faire la — de** to remark about, mention
remarquer to notice; **faire — que** 87, 8 to call attention to the fact that
remerciements *m. pl.* thanks
remercier to thank
remettre to replace, put back, deliver, give; **se — à** to go back to
remonter to remount, bring back up, lift back up
rempart *m.* rampart
remplacer to replace
remplir to fill, fulfil
remporter to take away, win
renchérir to become more expensive
rencontrer to meet; **se — avec** to encounter
rendez-vous *m.* appointment; **se donner —** to make an appointment
rendormir to put back to sleep; **se —** to go back to sleep
rendre to return, give back, pay back, restore, render, make, give; 91, 32 to allow (*points in a game*); **— fou** to make crazy; **— visite** to pay a visit; **se —** to proceed, make one's way; **compte rendu** *m.* review
renfermer to shut up; **— à double tour** to close and lock in
renier to deny
renoncer (à) to renounce, give up
renouveler to renew, revive
renseignement *m.* piece of information; **—s** information
rente *f.* income; **—s** income
rentrée *f.* return, payment, receipt
rentrer to return; **— dans** to enter (into), return to, recover
renverser to upset
renvoyer to send away, dismiss, send back, discharge
répandre to spread

reparaître to reappear
réparation *f.* repair
repas *m.* meal
repasser to pass on, come back
repentir, se — de to repent (of), regret
répertoire *m.* repertory
répéter to repeat
repli *m.* fold
réplique *f.* reply
répliquer to reply
reployer to fold back
répondre to reply, guarantee
réponse *f.* reply
repos *m.* repose, rest
reposer to rest; **se —** to rest, lie down, rely
repousser to push away, reject, repulse
reprendre to take back, resume, reply
représentation *f.* representation, performance
représenter to represent
reprocher (à) to reproach (with)
reproduction *f.* reproduction
reproduire to reproduce
réputation *f.* reputation
requinquer to fit out, adorn
réserve *f.* reserve
réserver to reserve
résister (à) to resist
resonger to think again; **y —** to reconsider
résonner to resound, jingle
respect *m.* respect
respectueusement respectfully
respectueu-x, -se respectful
resplendissant, -e resplendent, radiant
ressemblance *f.* resemblance
ressembler à to resemble
ressentir to feel
ressource *f.* resource
ressouvenir, se — to remember; *m.* remembrance
restaurant *m.* restaurant
restaurateur *m.* restaurant proprietor
restauration *f.* restoration
reste *m.* rest; **au —** moreover, however; **du —** for the rest, moreover, however; **en — de** behindhand in
rester to remain, stay, be
résultat *m.* result
résulter to result
résurrection *f.* resurrection
retard *m.* delay; **en —** late
retenir to retain, hold back, hold, keep, carry (*in arithmetic*)
retenue *f.* modesty, restraint, detention; **mettre en —** 80, 7 to keep in (*at school*)
retirer to retire, withdraw; **se —** to retire, withdraw
retour *m.* return; **être de —** to be back
retourner to return; **se —** to return
retraite *f.* retreat
rétrécir to contract, cramp
retrousser to turn up
retrouver to find again, find, meet, discover; **se —** to meet again
réunion *f.* meeting
réunir to unite, assemble; **se —** to meet
réussir to succeed
revanche *f.* revenge; **en —** in return
rêve *m.* dream
réveiller to awaken, wake up; **se —** to wake up
réveillon *m.* midnight supper (*especially on Christmas Eve*)
revendre to sell again

revenir to come back; **— sur les pas** to retrace one's steps, come back
revenu *m.* revenue
rêver to dream
rêverie *f.* revery
revêtir to clothe, invest, cover, line
révolution *f.* revolution
révolutionnaire revolutionary
revue *f.* review
rhume *m.* cold; **— de cerveau** cold in the head
riche rich
Richelieu *title of Louis XIII's great minister*
richesse *f.* riches, wealth
rideau *m.* curtain
rider to wrinkle
ridicule ridiculous; *m.* ridiculous thing
rien nothing, anything; **ne . . . —** nothing; **— que** 51, 2 only, merely
rigoureu-x, -se severe
rigueur *f.* rigor; **de —** necessary
rime *f.* rhyme
rire to laugh; *m.* laughter
ris *m.* laughter, burst of laughter; *pl.* laughter
risquer to risk
rival *m.* rival
Rivoli *name of a street*
robe *f.* robe, dress; coat (*of a horse*); **— de chambre** dressing gown
Rochette *see* **Raoul**
Rodolphe *m.* Rudolph
roi *m.* king
rôle *m.* role, part
roman *m.* novel
romance *f.* ballad, song
romantique romantic
rompre to break
rond *m.* circle; **— de serviette** napkin ring
rose *f.* rose; *adj.* pink
rôti *m.* roast
rouge red
rougeur *f.* blush
rougir to blush
rouleau *m.* roll
rouler to roll
roulette *f.* (small) wheel
roulier *m.* teamster
route *f.* route, road; **en —** on the way; 118, 23 let us start; **se mettre en —** to start on the way
royal, -e royal
Rubicon *m.* Rubicon
rubrique *f.* heading
rue *f.* street
rugosité *f.* wrinkle
ruine *f.* ruin
ruiner to ruin
ruminer to ruminate, meditate, consider
ruse *f.* ruse, trick
Russie *f.* Russia; **faire ta —** 114, 8 to make your Russian tour

S

S. M. = Sa Majesté His Majesty
sac *m.* bag
sacré, -e sacred, holy
sacrebleu good lord, damn, heavens
sacrifier to sacrifice
Sahara *m.* Sahara
saint, -e holy, sacred; *m. or f.* saint; **Saint-Cloud** *name of an avenue leading out of Paris to the town of Saint Cloud;* **saint-cyrien** *pupil of the military school of* **Saint Cyr; Saint-Denis** *name of a town near*

Paris; **Saint-Germain** *old name of a section of Paris near the Seine;* **Saint-Germain-l'Auxerrois** *name of a street;* **Saint-Honoré** *name of a district of Paris;* **Saint-Louis** *name of an island in the Seine;* **Saint-Michel** *name of a bridge over the Seine*
saisir to seize
saison *f.* season
salade *f.* salad
salé, -e of salt
salle *f.* hall, room; **— de bal** ball room
Salomon *m.* Solomon
salon *m.* drawing room, parlor, exposition; **les —s** 62, 30 society
saluer to salute, greet, speak to
salut *m.* salutation
sang *m.* blood; **— froid** coolness, self possession; **se manger les —s** to restrain oneself
sans without, but for; **— que** without, unless
sangloter to sob
santé *f.* health
sapin *m.* fir tree
sardine *f.* sardine
satisfaction *f.* satisfaction
satisfaire to satisfy; **— à** to comply with
satisfait, -e satisfied, contented
Saturne *m.* Saturn
sauf save, except
saut *m.* leap, jump
sauter to leap, jump
sauvegarder to safeguard
sauver to save; **se —** to run away, hurry away
savant, -e wise; *m.* learned man
savoir to know, know how, be able; **je sais** I can; **— gré à** to be grateful to
savourer to taste
Sax *surname*
Saxe *m.* Saxony; 98, 18 porcelain from Saxony
Say *surname*
scalpel *m.* scalpel, knife
scandale *m.* scandal
scander to scan, measure
sceau *m.* seal
scène *f.* scene, stage; **avant-scène** stage box
sceptique *m.* skeptic
Schaunard *surname*
scie *f.* saw, tirade
science *f.* science
scolastique *f.* scholastic
se himself, herself, itself, themselves, each other, one another
séance *f.* sitting, session
s-ec, -èche dry, harsh
second, -e second
secouer to shake
secours *m.* help
secr-et, -ète secret; *m.* secret
secrétaire *m.* secretary, desk
sécurité *f.* security
séduire to seduce, captivate
seigle *m.* rye
seigneur *m.* lord, sir
sein *m.* bosom
Seine *f. name of a river and of a department in which Paris is situated*
seing *m.* signature
seize sixteen
séjour *m.* stay, abode
sel *m.* salt
selon according to; **c'est —** that depends
semaine *f.* week; **par —** a week
semblable similar
sembler to seem, appear
semer to sow

séminariste *m.* student in the seminary
sens *m.* sense, substance; **— dessus dessous** upside down
sensible sensitive, with feeling
sentiment *m.* sentiment, feeling
sentimentalement sentimentally
sentir to feel, smell of, taste of; **se —** to feel
sept seven
sergent *m.* sergeant
série *f.* series
sérieusement seriously
sérieu-x, -se serious
serment *m.* vow
serré, -e closely written
serrer to lock up
service *m.* service, set of dishes
serviette *f.* napkin
servir to serve; **— à** to be good for; **— de** to serve as; **ne — à rien** to be good for nothing; **se — de** to make use of, use
seuil *m.* threshold
seul, -e alone, only, single
seulement only, at least
sévère severe
sévèrement severely
sexe *m.* sex
si if, why, so, yes; *m.* si (*musical note*)
Sibérie *f.* Siberia
Sidonie *f. given name*
siècle *m.* century
siége *m.* seat, siege
sien, -ne (le, la) his, hers
sieur *m.* lord; **le —** Mr.
signal *m.* signal
signaler to mark
signe *m.* sign, mark
signer to sign
significati-f, -ve significant
signifier to signify, mean, give notice by
silence *m.* silence
simple simple
simplement simply
simuler to simulate
singularité *f.* peculiarity
singuli-er, -ère singular, strange
sinistre sinister
sire *m.* sire, lord
situation *f.* situation
situé, -e situated
six six
sixain *m.* stanza (*of six lines*)
sixième sixth
sobriété *f.* sobriety
social, -e social
société *f.* society, club
sœur *f.* sister, nun
soin *m.* care, duty
soir *m.* evening, night; **du —** in the evening, P.M.; **la veille au —** the night before; **le —** in the evening
soirée *f.* evening, evening party
soixante sixty
sol *m.* sol (*musical note*)
solaire solar
solder to pay
soleil *m.* sun
solennité *f.* solemnity
solidement solidly, firmly
solive *f.* beam, rafter
solliciter to solicit
somme *f.* sum
sommeil *m.* sleep
sommeiller to slumber
somptueu-x, -se sumptuous
son, sa his, her, one's, its
son *m.* sound
songe *m.* dream
songer to dream, think; **— à** to think of *or* about
sonnant, -e ringing
sonner to sound, ring, ring for, strike, play

sonnet *m.* sonnet
sonnette *f.* bell
sonore sonorous
sonorité *f.* sonority
sort *m.* fate, lot, destiny; **tirer au —** to draw lots
sorte *f.* kind
sortir to go out, get out, emerge, go
sottise *f.* silliness, nonsense; **soupirail à —s** 100, 18 air hole, for nonsense
sou *m.* sou, cent; **— de poche** pocket money
soudain *adv.* suddenly
souffler to blow, whisper
souffrir to suffer, stand, allow, endure
souhait *m.* desire; **à —** according to one's desire
soulever to raise
soulier *m.* shoe; **— de bal** dancing shoe
soupe *f.* soup
souper to sup, have *or* eat supper; *m.* supper; **offrir à —** to offer supper
soupir *m.* sigh
soupirail *m.* air hole
source *f.* source
sourire to smile; *m.* smile
sous under
sous-marin, -e submarine
soutenir to sustain, support; **soutenez-vous** 38, 21 help one another
souvenir, se — (de) to remember; *m.* souvenir, recollection
souvent often
spécialement especially
spécimen *m.* specimen
spectacle *m.* spectacle
spectre *m.* spectrum
spéculer to speculate
Spitzberg *m. name of an archipelago in the Arctic Ocean north of Europe*
spleen *m.* spleen
spleenatique splenetic
splendeur *f.* splendor
splendide splendid
splendidement splendidly
St. = Saint
station *f.* station, short stay
stoïque stoical
stranguler to strangle
strict, -e strict
stupéfait, -e dumbfounded
stupéfier to stupefy
stupeur *f.* stupor
stupide stupid
style *m.* style
subir to undergo
subit, -e sudden
subitement suddenly
subventionner to subsidize
succès *m.* success
sucre *m.* sugar
sucri-er, -ère, relating to sugar, sugar
sud *m.* south; **vent du —** south wind
suer to sweat
sueur *f.* sweat, labor; **—s** sweat
suffire to suffice, be enough
suisse Swiss
suite *f.* succession, consequence, train; **à la — de** following, after; **de —** in succession; **par — de** in consequence of; **tout de —** at once
suivant, -e following
suivre to follow
sujet *m.* subject; **à ce —** on this subject
sultan *m.* sultan
superbe superb
superflu, -e superfluous; **le strict**

— what is strictly superfluous
supérieur, -e superior, upper
supplément *m.* supplement, addition; **de —** additional
supplice *m.* torment
supporter to endure
supposer to suppose
supposition *f.* supposition
suprême supreme
sur on, upon, over, about, by, in, of
sur, -e sour
sûr, -e sure
surclouer to repledge, repawn; **cloués et surcloués** 42, 18 pawned and repawned
surlendemain *m.* day after next
surnaturel, -le supernatural
surnommer to nickname
surprenant, -e surprising
surprendre to surprise
surprise *f.* surprise
surtout above all, especially
suspecter to suspect
suspendre to suspend, hang
syllabe *f.* syllable
sylphe *m.* sylph
sympathie *f.* sympathy
symphonie *f.* symphony
symptôme *m.* symptom
synoptique synoptic, affording a general view
Syracuse *f.* Syracuse
système *m.* system

T

t = ter
ta *see* **pata**
tabac *m.* tobacco
tabatière *f.* snuff box; 53, 30 tobacco pouch
table *f.* table
tableau *m.* picture, tableau; 19, 26 list
tabouret *m.* stool
tache *f.* spot
tâcher to try
tailler to cut
tailleur *m.* tailor
taire, se — to be silent
talent *m.* talent
talon *m.* heel
tambour *m.* drum
tamponner to plug, spread
tandis que while
tant (de) so much, as much, so many, as many
tantôt sometimes, presently, nearly
taper to tap
tapis *m.* rug
tarabuster to pester
tard late
tarder to delay, be long
tarentule *f.* tarantula
tasse *f.* cup; **demi-tasse** demitasse
te thee, to thee, you, to you
teinture *f.* tincture, smattering
Teinturière *surname*
tel, -le such (a), a certain; **— que** just as
télégraphe *m.* telegraph
tellement so
temps *m.* time, weather; **de — en —** from time to time; **en même —** at the same time
tendre to extend, stretch, hand, set; *adj.* tender
tendu, -e extended, tense
tenir to have, hold, keep, deliver; **— à** to depend upon, be in one's hands, "be up to," be fond of; **— à ce que** to insist that; **— à honneur** to consider (it) a matter of honor; **— dans** to consist in, be contained in, fit in; **— la caisse** 67, 5 to run the treasury; **— toutes les**

peines to take all the pains; **être tenu de** to be obliged to; **tiens** hallo, oh, come; **tenez** here, stop
tentative *f.* attempt
tenter to attempt
tenue *f.* appearance, bearing; 12, 16 conduct; **— de livres** bookkeeping
ter three times
terme *m.* term, quarter, rent (*for a term or quarter*); **à —** on account; **— de loyer** quarter's rent
terminer to terminate, end; **se —** to terminate, end
ternir to tarnish
terrasse *f.* terrace, balcony
terre *f.* earth, ground; **à —** to the floor; **charbon de —** coal; **— cuite** terra cotta; **— rouge** red ochre; **— à —** close to the ground, prosy; 109, 2 m. banality; **tremblement de —** earthquake; **Terre Neuve** Newfoundland
terreur *f.* terror
terrible terrible
testament *m.* will
tête *f.* head; **papier à —** letterhead paper
théâtral, -e theatrical
théâtre *m.* theater
théorique theoretical
Théramène *m.* Theramenes
thermomètre *m.* thermometer
thèse *f.* thesis
Thibet, le — Tibet
ti *see* **pata**
tic *m.* tic; 25, 13 habit
timbre *m.* (official) stamp, hammer (of a bell)
timbrer to stamp, mark
timide timid
tintamarre *m.* racket
tir *m.* shooting, range; **— au pistolet** 115, 5 shooting gallery
tirade *f.* tirade
tirage *m.* pulling, difficulty
tirelire *f.* money box, bank
tirer to pull, drag, take, take out, draw, get, throw; **— au sort** to draw lots; **— d'embarras** to free from difficulty
tiroir *m.* drawer
titre *m.* title; **à juste —** justly
Titus *m.* Titus
toast *m.* toast
toi thee, you
toile *f.* cloth, linen, canvas; **— cirée** oil cloth; **— de cent** hundred-inch canvas; **— de vingt** twenty-inch canvas (*the old French inch nearly equal to the English inch*)
toilette *f.* toilet
tôle *f.* sheet iron
tombe *f.* tombstone
tombeau *m.* tomb
tomber to fall; **laisser —** to drop
ton, ta thy, your
ton *m.* tone, quality
tonnerre *m.* thunder
tonsuré, -e tonsured, bald, smooth
tonsurer to tonsure
torrentiel, -le torrential
tort *m.* wrong; **avoir —** to be wrong; **être dans son —** to be wrong
tôt soon; **le plus — possible** as soon as possible
total *m.* total
toucher to touch, receive, collect; **— à** to dabble in
toujours always, still, continually, in any case

tour *m.* tour, turn, walk; *f.* tower; **renfermer à double —** to close and lock in; **— de faveur** act of favor
tourmenter to torment
tournée *f.* round
tourner to turn; **se —** to turn
tout, -e all, whole, every, any; *adv.* quite, very, entirely, even, however, just; **— à coup** all at once; **— à fait** completely, quite; **— à l'heure** very soon, at once, just now; **— ce qui (que)** all that, everything that; **— d'abord** at the very first, at first; **— de suite** at once; **du —** not at all; **— en** while; **tous les** every; **tous (les) deux** both; **tous les quatre** all four
toutefois however
trace *f.* trace, mark
traditionnel, -le traditional
trafic *m.* traffic, trade
trafiquer to traffic
tragédie *f.* tragedy
trahir to betray
train *m.* train, retinue, display, way; **en —** 6, 26 in the mood; **en — de** in the act of; **être en — de** to be in the act of, be at work; **mener grand —** to live in great style
traîner to drag
trait *m.* trait, feature, act
traiter to treat, discuss
trame *f.* woof
tranche *f.* slice
tranquille calm, at ease
tranquillement calmly
transformer to transform
transition *f.* transition
transparent, -e transparent; *m.* transparency
transporter to transport
travail *m.* work, labor
travailler to work
travailleur *m.* worker
travers *m.* breadth; **à —** through; **au — de** through
traverse *f.* reverse, misadventure
traverser to traverse, cross
tremblement *m.* trembling; **— de terre** earthquake
trembler to tremble
tremper to soak, drench
trente thirty
trente-quatre thirty-four
trente-trois thirty-three
très very, very much
trésor *m.* treasure
trésorier *m.* treasurer
tressaillir to start
trêve *f.* truce; **faire —** to call a truce
tribune *f.* tribune, rostrum, gallery
tricolore tricolored, of three colors
trictrac *m.* backgammon
trio *m.* trio
triomphant, -e triumphant
triomphe *m.* triumph
triste sad, gloomy
trois three
troisième third
trompe *f.* trumpet
tromper to deceive; **se —** to make a mistake
trône *m.* throne
trop too, too much
trou *m.* hole
troubler to disturb
trouver to find; **se —** to be (*situated*)
tu thou, you
tuer to kill; **à tue-tête** at the top of one's voice
tue-tête *see* **tuer**
tueur *m.* killer

turban *m.* turban
tur-c, -que Turkish; *m. or f.* Turk
turf *m.* turf, race course
tutoyer to address with the form **tu** (*an indication of intimacy*)
tutrice *f.* protectress, guardian
tuyau *m.* pipe
type *m.* type

U

Ugoline *m.* Ugolino
un, une a, an, one; **l'— l'autre** each other, one another, mutually; **les —s et les autres** all; **les —s sur les autres** upon one another; **l'une dans l'autre** 105, 18 apiece; **l'— de l'autre** each other's
unique unique, only
uniquement solely, exclusively
universalité *f.* universality
usage *m.* use, custom
user to use up, wear out
ut *m. musical note* = **do**
utile useful, of service
utiliser to utilize
utilité *f.* utility, benefit

V

vacant, -e vacant
vacarme *m.* uproar
vacciner to vaccinate
vague vague; *f.* wave
vaguement vaguely
vaillamment valiantly
vaincre to overcome
vainement vainly
vaisselle *f.* dishes
valet *m.* valet
valeur *f.* value, worth, amount
valoir to be worth, win
vanter to vaunt; **se —** to boast, be proud
vapeur *f.* steam; **bateau à —** steamship
vareuse *f.* blouse
varier to vary
variété *f.* variety; **Variétés** *name given to a collection of miscellaneous topics in a periodical*
vase *m.* vase
vasistas (*final* **s** *is pronounced*) *m.* panel, small window
Vatel *surname*
vaudeville *m.* vaudeville, trick
veau *m.* veal
veille *f.* eve, day before; **la — au soir** the night before; **la — de Noël** Christmas Eve
veiller to be awake
veine *f.* vein
velours *m.* velvet
vendange *f.* vintage
vendre to sell
vendredi *m.* Friday
vénérer to venerate
vengeance *f.* vengeance
venger to avenge
vengeur *m.* avenger
venir to come; **en — à** to come to, end; **en — à bout** to succeed in it; **faire —** to send for; **— de** to have just; **vouloir en — à** to drive at, aim at; **nouveau venu** *m.* newcomer
Venise *f.* Venice; **glace de —** Venetian glass
vent *m.* wind
vente *f.* sale
ventilateur *m.* ventilator
ventouse *f.* ventilator
verdure *f.* verdure, green, turf
vérifier to verify
véritable veritable, real
vérité *f.* truth

verjus *m.* verjuice; **au —** sour, acid
vermillon *m.* vermilion
Vernet *surname*
vernir to varnish
verre *m.* glass
verroterie *f.* glassware, trinket, ornament
vers toward; *m.* verse
verser to pour
vert, -e green
vertu *f.* virtue
vertueu-x, -se virtuous
Vert-Vert *see chapter VIII, note* 19
vessie *f.* bladder, paint bladder
vestibule *m.* vestibule
vêtement *m.* garment; **—s** clothes
vêtir to dress, put on
veuve *f.* widow
vexé, -e vexed, angry
viande *f.* meat
vibration *f.* vibration
vibrer to vibrate
victime *f.* victim
Victoria *f.* Victoria
vide empty
vider to empty, vacate
vie *f.* life
vieux (vieil), vieille old
vi-f, -ve lively
vigne *f.* vine; **feuille de —** vine leaf
vignette *f.* engraving, design
vigueur *f.* vigor, operation
vil, -e vile
vilain, -e ugly
village *m.* village
ville *f.* city; **en —** in town
vin *m.* wine; **esprit-de-vin** alcohol
vinaigre *m.* vinegar
vingt twenty, twentieth; **quatre-vingts** eighty
vingt-cinq twenty-five
vingt-quatrième twenty-fourth
vingt-trois twenty-three
violence *f.* violence
violent, -e violent
violer to violate
violette *f.* violet
violon *m.* violin; 49, 11 prison (*slang*)
Virginie *f.* Virginia
virgule *f.* comma
virtuose *m.* virtuoso
visage *m.* face
visible visible
visite *f.* visit, call; **carte de —** visiting card
vite quickly; **au plus —** as quickly as possible
vitre *f.* pane
vivacité *f.* vivacity
vivant, -e living, lifelike
vivement quickly, deeply
vivre to live
vizir *m.* vizier
vocal, -e vocal
vocation *f.* vocation
vœu *m.* vow, desire
vogue *f.* vogue
voici here is, here are, this is; **les —** here they are; **— que** 121, 23 see how
voie *f.* way, track; **— d'eau** leak, opening (*for the entrance of water*)
voilà there is, there are, that is, there, there you are, look; **le —** there he is; **— que** there
voile *m.* veil
voiler to veil
voir to see; **— à** to see about; **laisser —** to show
voisin, -e neighboring; *m. or f.* neighbor
voisinage *m.* neighborhood

voiture *f.* carriage; **— de déménagement** moving van
voix *f.* voice
vol *m.* flight; **voir à — d'oiseau** to get a bird's eye view of
volage fickle
volatile *m.* bird
volet *m.* shutter
voleur *m.* thief
volonté *f.* will
volontiers gladly
voltiger to flutter, whirl
volume *m.* volume
voracité *f.* voracity
voter to vote
votre your
vôtre (le) yours
vouer to doom
vouloir to wish, want, be willing, expect; **— bien** to be willing, be kind enough, please; **— dire** to mean; **en — à** to be angry with; **que me voulez-vous** what do you wish of me; **veuillez** please
vous you, to you, for you, yourself, yourselves, each other, one another; **vous-même** yourself
voyage *m.* voyage, trip
vrai, -e true, real, fair
vraiment really
vue *f.* view, sight, glance, eyesight
vulgaire vulgar
vulnéraire *m.* vulnerary (*a healing remedy*)

W

Windsor *m.* *name of a castle about twenty miles west of London*

Y

y there, to it, at it, to them, at them, etc.

Z

zèle *m.* zeal
zéro *m.* zero

THE END